CB130395

O MELHOR DE

CAIO FERNANDO ABREU

O melhor de

Caio Fernando Abreu

contos e crônicas

© 2015 by herdeiros de Caio Fernando Abreu

Direitos de edição da obra em língua portuguesa no Brasil adquiridos pela Editora Nova Fronteira Participações S.A. Todos os direitos reservados. Nenhuma parte desta obra pode ser apropriada e estocada em sistema de banco de dados ou processo similar, em qualquer forma ou meio, seja eletrônico, de fotocópia, gravação etc., sem a permissão do detentor do copirraite.

Editora Nova Fronteira Participações S.A.
Rua Candelária, 60 — 7º andar — Centro — 20091-020
Rio de Janeiro — RJ — Brasil
Tel.: (21) 3882-8200 — Fax: (21) 3882-8212/8313

Crédito completo de trecho de quarta capa:
Entrevista de Caio Fernando Abreu a Marcelo Secron Bessa.
BESSA, Marcelo Secron. "Quero brincar livre nos campos do senhor: uma entrevista com Caio Fernando Abreu". In: *PaLavra* / Departamento de Letras da PUC-Rio. n. 4. Rio de Janeiro: Grypho, 1997.

Listagem de crônicas por livro:
Pequenas epifanias: "Pequenas epifanias", "O mistério do cavalo de Édipo", "Uma fábula chatinha", "Carlos chega ao céu", "Na terra do coração", "Primeira carta para além do muro", "Última carta para além dos muros", "Para lembrar Tia Flora", "Agostos por dentro".
Caio Fernando Abreu: o essencial da década de 1980: "Pequenas e grandes esperanças".
Caio Fernando Abreu: o essencial da década de 1990: "Sim, que seja este o porto".
A vida gritando nos cantos: "Amizade telefônica", "Com afeto e mau humor", "Querem acabar comigo", "Verão de julho", "Que depois de me ler", "De laços, seios, sábados e tormentas", "Tentativa de sitiar uma esquisitice".

CIP-BRASIL. CATALOGAÇÃO NA PUBLICAÇÃO
SINDICATO NACIONAL DOS EDITORES DE LIVROS, RJ

A145m

Abreu, Caio Fernando, 1948-1996
O melhor de Caio Fernando Abreu / Caio Fernando Abreu. - 1. ed. - Rio de Janeiro : Nova Fronteira, 2015.

ISBN 9788520923795

1. Abreu, Caio Fernando, 1948-1996. 2. Conto brasileiro. 3. Crônica brasileira. I. Título.

15-25586

CDD: 869.93
CDU: 821.134.3(81)-3

Sumário

Apresentação

O melhor de Caio Fernando Abreu faz parte da coleção que pretende levar até você, leitor, contos e crônicas dos grandes autores da literatura brasileira de todos os tempos. Caio Fernando Abreu ou simplesmente Caio F., como ele assinava seus textos, é considerado por muitos um dos autores de maior expressão das décadas de 1970 a 1990.

É mais que sabido que os textos de Caio "caminham" por temas completamente atuais, que tratam de questões atemporais e essencialmente humanas. Não à toa, o autor tem inúmeros fãs de todas as idades e virou nos últimos anos um fenômeno na internet e nas redes sociais.

Caio circulou com desenvoltura pelos mais diversos gêneros literários; escreveu romances, novelas, poemas, peças de teatro, cartas e mais cartas e até um livro infantojuvenil. Isso sem contar as traduções, os artigos, as reportagens, as críticas, enfim, o trabalho diário de jornalista, responsável pela sobrevivência cotidiana. No entanto, sua mais volumosa produção está concentrada justamente nas narrativas curtas e nas crônicas publicadas pelos periódicos para os quais contribuiu ao longo da vida.

Nesta coletânea, para a parte dedicada aos contos, retomamos as três décadas de produção do autor, refazendo seu percurso literário ao escolher textos bem representativos de cada obra publicada. Assim, de *O inventário do ir-remediável*, livro de estreia de Caio — cujo título original não trazia o hífen acrescentado 25 anos depois, que serviu, segundo o próprio autor, para aliviar o tom "algo melancólico e sem saída" da obra original —, apresentamos "Corujas", "O coração de Alzira" e "Fuga". O livro de 1970 não se manteve o mesmo quando ganhou nova edição em 1995. Além do título, os contos passaram por uma reescrita e oito foram *irremediavelmente* eliminados pelo autor. As três narrativas que você lerá aqui saíram dessa nova versão da década de 1990.

Em 1975, vem a público *O ovo apunhalado*, terceiro livro do escritor gaúcho, e seu segundo de contos, que marca, para ele, a transição do amadorismo para uma espécie de profissionalismo. Dessa obra tão acentuadamente comprometida com seu momento histórico e ao mesmo tempo avessa a modismos, selecionamos "Oásis", "Visita" e "Para uma avenca partindo".

Em seguida, passamos a *Pedras de Calcutá*, de 1977, que Caio define como um livro de horror, "o horror real, exacerbado, do dia a dia subjetivo e objetivo das pessoas". Dele escolhemos "Aconteceu na Praça XV", "Garopaba mon amour" e "Uma história de borboletas".

É do início da década de 1980, porém, mais precisamente de 1982, o livro mais conhecido de Caio, considerado por muitos sua obra-prima: *Morangos mofados*. Nem precisamos dizer como foi difícil escolher, em meio aos 18 contos publicados na obra, apenas uns poucos para representá-la nesta antologia. Acabamos decidindo por dois da seção "O mofo" e dois da seção "Os morangos", os quatro com adaptações para teatro ou cinema. São eles, respectivamente, "Os sobreviventes", "Pela passagem de uma grande dor", "Sargento Garcia" e "Aqueles dois".

Passando a *Os dragões não conhecem o paraíso*, de 1988, quinto livro de contos de Caio, ou romance-móbile com 13 peças de encaixar, como propôs o autor no texto de abertura, em que apresenta também a temática do livro, o amor e seus mais variados complementos, trouxemos "Linda, uma história horrível", "Os sapatinhos vermelhos" e "Mel & girassóis (ao som de Nara Leão)".

Por fim, selecionamos dois contos de *Ovelhas negras,* que é, ele próprio, um panorama da contística de Caio, uma "autobiografia ficcional", muito mais que a recuperação de "um fundo de gaveta", como diria o autor. Publicado em 1995, o livro reúne textos escritos durante 32 anos. "O príncipe Sapo", publicado na revista *Cláudia* em 1966, entra aqui como o primeiro conto do autor, posto que "A maldição dos Saint-Marie", escrito aos 14 anos, é uma novela. Fechando a seção de contos, "Sob o céu de Saigon", de 1989, uma história bem paulistana.

Para a parte dedicada às crônicas, escolhemos 18 textos fronteiriços, daqueles que temos dificuldade em delimitar no espaço da escrita do cotidiano, uma escrita factual e descartável. A seleção compreende um período de 11 anos, de 1984 a 1995, e dois periódicos, o *Zero Hora* e *O Estado de S. Paulo*. Engraçadas, emocionantes, pungentes, com passagens que não sem razão se despregaram do todo e são citadas a três por dois nas redes sociais, as crônicas que trazemos aqui abordam os mais variados assuntos, desde a dificuldade de escrever, passando pela bela homenagem ao poeta Carlos Drummond de Andrade, quando de sua morte, até a impactante "Carta para além dos muros", em que Caio expõe publicamente ser portador do vírus HIV.

Duas décadas depois da morte de Caio Fernando Abreu, suas crônicas continuam de uma atualidade impressionante. Não sem razão o autor arrebata mais e mais leitores com seus textos ora pesados e depressivos, ora leves, positivos e alto-astral, como o da crônica publicada n'*O Estado de S. Paulo*, em 12 de agosto de 1987: "Hoje quero escrever qualquer coisa tão iluminada e otimista que, logo depois de ler, você sinta como uma descarga de adrenalina por todo o corpo, uma urgência inadiável de ser feliz. Ser feliz agora, já, imediatamente."

Contos

O príncipe Sapo[1]

Numa tarde de novembro de 1966 eu estava em meu quarto no IPA, internato em Porto Alegre, lendo Graciliano Ramos, quando vieram trazer um envelope grande chegado de São Paulo. Era um exemplar da revista Claudia *com este conto publicado e uma carta de Carmen da Silva. Há quase um ano, eu enviara o texto a ela pedindo apreciação, e não recebera resposta. A carta explicava: Carmen queria me proporcionar a surpresa da publicação, a primeira. Foi naquele momento que me tornei definitivamente escritor. Exceto por algumas palavras e parágrafos, não mudei mais nada nesta história. Tentar "melhorá-la" seria atraiçoar a inocência dos dezoito anos que eu tive.*

À memória de Carmen da Silva

[1] O conto "O príncipe Sapo", que só havia sido publicado na revista *Claudia*, em 1966, foi um dos escolhidos por Caio Fernando Abreu para compor o livro *Ovelhas negras*, de 1995. (N.E.)

Bonita mesmo ela nunca foi, sobre isso todos sempre estiveram de acordo. Ainda mais agora, já quarentona, os cabelos muito finos e lisos eternamente presos num coque sem graça, os olhos parados numa expressão estranha, misto de ironia e tristeza. Mas não se pode negar que tinha algo diferente — alguma coisa assim que transcendia o corpo e ficava pairando ao seu redor como... como uma névoa vaga de manhã de outono. (Ia dizer *auréola*, mas essa palavra lembra santa e isso eu garanto que ela nunca foi.) O fato é que ela possuía uma graça especial, talvez o modo como se debruçava à janela, ou mesmo o jeito oblíquo de sorrir apertando os lábios, como se temesse revelar no sorriso todo o seu mundo interior.

Teresa era seu nome. Nome comum que não lembra nada nem ninguém — a não ser as duas santas, a Teresinha de Jesus na música infantil e a Teresa Cristina imperatriz, com as quais aliás nem um pouco ela se parecia. Pois Teresa vinha de uma família muito numerosa. Onze irmãs. Todas com T de inicial no nome também. Teresa, sorte dela, foi das mais velhas, pois a décima segunda, esgotado o reservatório de nomes, foi batizada como Telêmaca. Mesmo essa conseguiu casar. Todas as outras conseguiram, menos Teresa. Foram-se indo aos poucos todos aqueles tês, como a água numa banheira vai sumindo, sumindo, de repente a gente depara com a banheira vazia e pergunta: "Ué, cadê a água?" Foi isso que aconteceu com Teresa. Madrinha, testemunha ou aia de todos os casamentos. Sempre sorridente, feliz com a felicidade das outras, escondendo uma ponta, só uma pontinha, de inveja boa. Os parentes já se olhando de esguelha, trocando sorrisos maliciosos, fazendo apostas ferinas: "Será que esta encalha?" As irmãs casando e Teresa sobrando, o corpo fanando, a carteira e as luvas puindo de tanto casamento. E um misto de amargura e expectativa se acumulando num fundo de alma.

"Minha vez também há de chegar", pensava, comparando-se às dez irmãs. E tirava, honestamente, um saldo a seu favor: era mais inteligente, mais desembaraçada, mais elegante. Mas ia sobrando. E a esperança — a esperança ameaçando tornar-se real no primo Gonçalo, de olhos verdes, verdes, tocador exímio de violão, seresteiro incorrigível, partido visado pelas moçoilas românticas e temido pelos papais, aquela esperança apequenando mais e mais no coração de Teresa. Foi-se de vez no nono casamento: Tanira e Gonçalo confirmam. Teresa, madrinha mais uma vez. Sorriso desta vez como pintado no rosto onde os olhos mostraram, pela primeira vez, aquele misto de ironia e tristeza. Depois a festa, os doces, as danças, os pares rodopiando, o violão, os olhos — meu Deus, tão doidamente verdes! — de Gonçalo postos nos olhos sem graça da irmã. Teresa enfiada num canto, falando de pontos de crochê para dona Anaurelina, buço cerrado, seios fartos, mãe de Gonçalo rodopiando na valsa e olhos (ainda, Deus meu!) postos nos olhos de Tanira.

À noite, sozinha na cama, amargura, culpa, choro envergonhado, desejos inconfessáveis, pensamento em Gonçalo. Olhos nos olhos de Tanira, tão desvairadamente verdes. Os noivos na cama longe dali decerto abraçados, colados, fundidos. Olhos nos olhos mesmo no escuro. A cor dos olhos dele devia brilhar no escuro, como os dos gatos, dos tigres. Um gato no cio miou lá fora, e ela revirando-se, mãos buscando água na mesinha de cabeceira, sono pesado, pesadelo verde, cheio de olhos e gatos, valsas e tigres. Na manhã seguinte, a vergonha de si mesma, das coisas que pensara durante a noite — seria doida? O medo de retratar-se em cada gesto, em cada palavra, a fazia cerrar-se áspera à menor tentativa de aproximação dos pais e das irmãs restantes. E à noite, outra vez, o corpo ardia no desejo impossível do corpo do primo. Os dias atordoados, as noites longas, suores, frustração. O tempo, remédio pra tudo, diziam, passando. As irmãs casando sem parar. Teresa ressecando. Os pais morrendo.

Quando eles morreram, o pai menos de ano depois da mãe, ela não chorou. Já havia esgotado, pensava, sua capacidade de sofrer. Mas pensando na relativamente boa situação financeira em que ficara após a morte deles, a única solteira e desamparada, não podia deixar de lembrá-los com gratidão.

*

Teresa de luto fechado, sozinha em casa com o gato. Às segundas, visita de Têmis; às terças, visita de Tânia; às quartas, de Telma; às quintas, de Tatiana; às sextas, de Tília, que as outras moravam em outras cidades. Os sábados livres para igreja, cemitério. Domingos: banho, vestido bem passado, talco, perfume, coque, janela. Olhos gulosos nos homens que passavam. Olhos úmidos ao ouvir as crianças de mãos dadas cantando "Se eu roubei, se eu roubei teu coração, tu roubaste, tu roubaste o meu também". Novelas no rádio e leituras para matar o tempo. No começo, desde almanaques de farmácia até livros de colégio, depois dedicou-se somente às histórias infantis. Domingo à tarde, debruçada na moldura verde da janela, em segredo punha nos vizinhos apelidos tirados dos livros. Branca de Neve era a moça branca e anêmica, diziam que tuberculosa, filha de seu Libório açougueiro, que, por sua vez, era o gigante de João e o Pé de Feijão. As irmãs Rosa Branca e Rosa Vermelha, as duas metidas filhas do médico, e a Moura Torta, a portuguesa da venda, coitada, tão boazinha apesar do narigão e da corcunda.

E foi assim que apareceu o príncipe Sapo.

Teresa adorava aquela história, já lera mais de dez vezes. "Ai como sou besta e sem fundamento", pensava, "tamanha mulher lendo e ainda por cima gostando dessas bobagens para crianças." Pensava vagamente em procurar um médico para curar a mania, ouvira falar de psicólogos, médicos de cabeça, que curam coisas assim. Mas não fazia nada. Fugia a toda hora para aquele mundo feito de casas de doce, castelos, fadas, maçãs mágicas. Sonhava com o príncipe Sapo. Negava o real, enojava-se da lembrança de Gonçalo, braços cabeludos, peito cabeludo, suado, cheiro de homem, cigarro e cerveja, banhas incipientes com o casamento. Tinha nojo, sim. Comparava-o ao príncipe Sapo — louro, delicado, perfumado, olhos azuis — não verdes, verdes não! —, tocando piano com aquelas mãos tão alvas. Gonçalo tocava violão. Teresa odiava violão, amava violão. Odiava Gonçalo, amava Gonçalo. De manhã, no espelho, chamava-se em voz alta de besta, besta, besta. Estava ficando louca e velha e feia e quase quarentona e ressecada e cínica, até cínica, meu Deus. Chorava.

Recompunha Gonçalo na memória traço por traço, depois apagava tudo com as imagens dos príncipes das histórias infantis.

★

Resolveu então encontrar o príncipe Sapo. Durante três domingos procurou-o inutilmente em todos os homens que passaram sob a janela. No quarto, debruçada na janela verde, cabelos presos no coque, talco, banho recente, corpo apaziguado — pois no quarto domingo achou. Não, não era louro nem delicado, nem tinha os olhos azuis. Resumindo: em nada se parecia à gravura do livro. Em compensação, lembrava tanto um sapo que ela não pôde deixar de olhá-lo atenta.

E lá vinha ele descendo a rua, baixinho, cheio de tiques, os olhos saltados saltando para os lados. Um terno surrado dançando no corpo franzino, uma pasta embaixo do braço, caminhando como se fosse aos saltos. Um sapo perfeito.

Ela riu alto e ele quase parou, espantado com aquele riso tão claro na garganta da solteirona da janela verde. Depois se foi, baixinho, nervoso. Teresa ficou olhando até que desaparecesse na curva da rua. À noite sonhou com ele. Não mais com a figura do livro, mas com ele mesmo, o sapo. Sonhou coisas que a fizeram corar no dia seguinte, olhando-se ao espelho e chamando-se baixinho de cínica, cínica, cínica.

Indagou pela vizinhança, até descobrir. Era professor de piano, pobre, solteiro, morava na pensão da esquina. O nome: Francisco, todos chamavam de Chico. Nada lembrava príncipe, nem sapo. Professor de piano, isso gostava. Resolveu comprar um piano. Comprou. Tomásia, Tônia, Tatiana, demais tês e respectivos maridos censuraram-na por jogar fora assim a herança dos pais, coitados, tão bons, falecidos há tão pouco tempo, e ela já querendo gastar dinheiro, assanhada, ingrata, e num piano, logo num piano, coisa preta, grande e quase sem utilidade, a não ser tocar, coisa que aliás ela não sabia, profanadora do luto, arriscando-se a levar castigo divino, nem parecia que respeitava a memória deles, nem parecia que era católica apostólica rom...

— Chega! — berrou Teresa, replicando que já tinha quase quarenta anos, o dinheiro era seu, fazia o que bem entendesse dele, não seria por isso que deixaria de amar os pais, coitados, tão bons, falecidos há tão pouco tempo. — E além disso — continuou frenética —, vocês têm seus maridos e filhos para se distrair, e eu, que que eu tenho? Me digam, o que que eu tenho nesta casa vazia?

Escândalo. As irmãs saindo uma a uma, trombudas, chamando-a de cínica, cínica, cínica. Relações cortadas.

*

Mas o piano veio. Grande, rabudo, pretíssimo. Dedos cansados acariciando teclas à toa. Sons difusos, dissonantes, espalhando-se pela casa grande e deserta, entrando no coração amargurado de Teresa, ferindo-o de leve. Leve como o toque de seus dedos nas teclas frias, frias como as lágrimas pingando no assoalho escuro, escuro como a madeira envernizada do piano na qual ela passava a mão como se fosse uma pele de gente.

Não perdeu tempo. Em seguida, as aulas. O príncipe Sapo batendo tímido na porta. Olhos baixos, pés esfregados no capacho. E escalas, escalas e mais escalas. Notas, sustenidos, bemóis, cachorro vai, dó-ré-mi, claves, mi-dó-ré, pauta, compasso, cachorro vem, ré-mi-dó. Teresa deslumbrada, como se tivesse em suas mãos a chave do cofre onde o mundo esconde seus tesouros. Quase esqueceu-se do verdadeiro motivo pelo qual comprara o piano, tanto gostava de música. A solidão nem mais pesava. Havia agora um amanhã, um ontem, um hoje. Havia o piano, as lições, os exercícios. Esqueceu o gato, a janela no domingo, os livros infantis, as novelas. Havia o piano. E havia também o príncipe, o Sapo.

No começo tinha nojo dele. O homenzinho apagado demais, humilde demais, sempre quieto, como consciente do desprezo que provocava, e por isso mesmo mais desprezível. Mas ao cair de uma tarde Teresa surpreendeu-se a olhá-lo com pena, depois com compreensão, depois com simpatia, depois... Bem, noutro dia suas mãos tocaram-se rápidas sobre o teclado. Afastaram-se logo. A dele trêmula, nervosa; a dela hesitante; ambas encabuladas. No dia seguinte buscaram-se discretamente, tocando-se como que por acaso, as quatro mãos. Uma semana mais tarde olharam-se nos olhos. Olhos fatigados, de gente quase velha, quase sem ilusões.

O piano cantava cada vez com mais alegria, os rumores na rua cresciam, todo mundo comentando a pouca-vergonha. Mas Teresa feliz, feliz, feliz. Uma página inteira feliz. Um livro inteiro feliz. Um mundo inteiro, Teresa feliz.

★

Até que Gonçalo, sempre o cunhado mais decidido, veio falar com ela. Tranquila, Teresa ouviu.

— Olha, não temos nada com a sua vida, nem eu nem sua irmã, mas achamos que devemos... — pigarreou, tossiu, meio engasgado com as palavras difíceis ensaiadas antes — ...devemos zelar pelo bom nome da família, tão representativa na sociedade local. Afinal de contas, seus pais...

— ...coitados, tão bons, falecidos há tão pouco tempo — interrompeu Teresa distraída.

Gonçalo parou, surpreso. Ela sorriu com o canto da boca. Ironia, ele desconfiou. Mas prosseguiu:

— Pois é, isso. Eles não haviam de gostar.

— Mas gostar de quê?

— Desses rumores.

— Quais *rumores*, Gonçalo?

Ele começou a perder a paciência. Os olhos — antigamente tão incrivelmente verdes! ela pensou com pena — ganharam um brilho frio e mau e opaco de vidro sujo, fundo de garrafa.

— Ora, Teresa, não se faça de inocente. Você já não é mais nenhuma criança, já tem trinta e cinco anos e...

— Trinta e oito.

— Pois é, isso. Não é mais idade de andar namoricando com esse tal de professor que não tem nem onde cair morto, e deve estar de olho mesmo é no seu dinheiro, esse...

— Príncipe Sapo.

— Hein?

— Príncipe Sapo, ora.

Gonçalo olhou melhor para ela. E adoçou a voz como quem fala com uma criança — ou uma louca —, os olhos retomando por segundos aquele verde bom de antigamente.

— Que príncipe, Teresa?

— Sapo, já disse. Que coisa, parece surdo. Aquele que pegou a bola de ouro da princesa e pediu para ir com ela, comerem juntos, dormirem juntos, você sabe.

Gonçalo desviou os olhos e deslizou-os pela sala, o piano enorme e o retrato de Chico Francisco príncipe Sapo sobre ele. Teresa acompanhou seus olhos pensando — "Gonçalo, eu amei você. Seus olhos verdes, seu violão. Amei a serenata que você nunca me fez". Depois foi falando devagar, sílaba por sílaba, como se o que dissesse fosse algo muito frágil:

— Eu vou me casar com o Chico — "Francisco príncipe Sapo", completou mentalmente. E mentiu, deixando-se embalar pelas próprias palavras: — Já mandei até ver o vestido, branco, comprido, com uma cauda deste tamanho. Vou casar de noiva, dos pés à cabeça.

Gonçalo suspirou. Já ouvira falar de muitos casos assim, essas moças passadonas, solitárias. Podia ficar ainda mais grave com o passar do tempo. Não tinha cura. Pediu licença, levantou e se foi, levando para sempre seu olhar já nem tão verde e a serenata frustrada.

*

Pausa de uma lição. Sobre o guardanapo branco do piano, chá e bolinhos. Zumbido de mosca voando, entontecida pelo calor. Teresa com os dedos que há pouco ensaiaram no teclado, sem erro, a primeira parte de *Pour Élise* descansados no regaço. Feliz, feliz, feliz.

— Chico — disse de repente —, nós vamos nos casar.

Silêncio. Teresa envolveu com olhar terno aquele homem pequenino demais, humilde demais — mas tão seu, o único que a vida lhe dera. A mosca zumbia mais, o calor aumentava, cinco da tarde de janeiro. Então ele olhou bem fundo nos olhos dela. Tinha uns olhos pardos, salientes, caídos, infinitamente tristes.

— Eu não posso, Teresa. Não posso casar com você. Nem com ninguém.

E foi explicando aos trancos, a voz ainda mais baixa, mais cansada.

— Foi no quartel, há muitos anos. Uma granada, você sabe, explosão, um acidente, estilhaços. Não sou homem inteiro. Só meio homem, entende, Teresa? Não me obrigue a falar nisso!

Teresa endureceu o rosto, imóvel na cadeira. Antes que ela falasse, o príncipe Sapo foi saindo exatamente como entrara: cabeça baixa, meio tropeçando no capacho. Na porta ainda parou e olhou para trás. E achou-a tão bonita ali sentada na sala clara, ao lado do piano, aquele olhar triste e irônico, os cabelos finos e lisos presos no eterno coque, as mãos cruzadas no regaço, tão bonita que não pôde deixar de sorrir.

Foi esse sorriso que doeu em Teresa. Doeu pelo resto da vida.

Ah, pobre Teresa, irmã de mil outras teresas do mundo inteiro. Piano vendido num leilão. Domingo à tarde, cabelos num coque, banho recém-tomado lavando mágoas e suores. Teresa na janela verde. Teresa olhar irônico e triste. Teresa olhar guloso em todos os homens que passam. Teresa de olhos úmidos ouvindo as crianças a esganiçar

"Rua da solidão". Fogueira no corpo ainda virgem de quase quarenta anos, fogueira no fundo do pátio incendiando livros e sonhos, bruxas e príncipes. Vontade de gritar, gritar bem alto e bem forte, sozinha à beira do fogo. O vento bate e salva do fogo uma página colorida e sopra-a pela rua afora. Ah, outra vez essa vontade de gritar um grito alto e triste que dobre lá longe, junto com a folha colorida em chamas, na mesma esquina onde dobrou para sempre Francisco Chico príncipe Sapo última esperança.

***Cláudia*, 1966**

Corujas

Para meus pais, Zaél e Nair, e meus irmãos, José Cláudio, Luiz Felipe, Márcia e Cláudia

Introdução

Tinham um olhar dentro, de quem olha fixo e sacode a cabeça, acenando como se numa penetração entrassem fundo demais, concordando, refletidas. Olhavam fixo, pupilas perdidas na extensão amarelada das órbitas, e concordavam mudas. A sabedoria humilhante de quem percebe coisas apenas suspeitas pelos outros. Jamais saberíamos das conclusões a que chegavam, mas oblíquos olhávamos em torno numa desconfiança que só findava com algum gesto ou palavra nem sempre oportunos. O fato é que tínhamos medo, ou quem sabe alguma espécie de respeito grande, de quem se vê menor frente a outros seres mais fortes e inexplicáveis. Medo por carência de outra palavra para melhor definir o sentimento escorregadio na gente, de leve escapando para um canto da consciência de onde, ressabiado, espreitaria. E enveredávamos então pelo caminho do fácil, tentando suavizar o que não era suave. Recusando-lhes o mistério, recusávamos o nosso próprio medo e as encarávamos rotulando-as sem problema como "irracionais", relegando-as ao mundo bruto a que deviam forçosamente pertencer. O mundo de dentro do qual não podiam atrever-se a desafiar-nos com o conhecimento de algo ignorado por nós. Pois orgulhos, não admitiríamos que vissem ou sentissem além de seus limites. Condicionadas a seus corpos atarracados, de penas cinzentas e três garras quase ridículas na agressividade forçada — condicionadas à sua precariedade, elas não poderiam ter mais do que lhes seria permitido por nós, humanos.

A chegada

Vieram de manhã cedo, a casa adormecida recusando-se preguiçosa a admiti-las em seu cotidiano. Apenas a empregada levantou-se entre resmungos para abrir a porta. Aceitou-as impassível em sua sonolência, dentro da gaiola em que estavam. O homem que as trouxera exigira apenas um sabonete em troca. Não sei se chegaram a saber disso — talvez não, pois quem sabe a troca mesquinha faria oscilar o orgulho delas, amenizando-lhes a ousadia no encarar-nos. Sobre a mesa, uma encolhida contra a outra, massa informe, cinzenta e tímida, onde ainda não se distinguia o grito amarelo dos olhos, aguardaram pacientes que o sol subisse e as gentes acordadas viessem cercá-las de espantos e sustos. Meu pai no entanto não lhes deu atenção. Constatou-as e passou adiante, em direção ao banheiro. Minha mãe sorriu-lhes, tentando a primeira carícia, recusada talvez por inexperiência de afeto. Contudo, não as penetrou fundo, anexando-as inofensivas em seu esparramar de bondade sem precauções.

Foram as crianças as primeiras a hesitar, num recuo que seria de ofensa se pertencesse à gente grande. Crianças, trocaram assombros frente à estranheza dos bichos nunca antes vistos. Por terem menos tempo de existência eram talvez as mais vulneráveis ao mistério. O viver constante, demorado e desiludido dos outros, acostumados à dureza, não poderia por caminhos diretos render-se à solicitação dos olhos delas. Mas a inexperiência das crianças levava-as ao extremo oposto de desrespeitá-las em sua individualidade, trazendo-as sem cerimônias para seu mundo de brinquedos. Perguntaram o nome dos bichos à empregada atarefada em passar café.

Coruja — foi a resposta seca, desinteressada, como se se tratasse de um saco de açúcar.

Aparentemente satisfeitas, compenetraram-se em cercá-las de uma ternura meio brusca. Aquela mesma dispensada às bonecas novas, que em pouco tempo restavam espatifadas em braços e pernas pelo quintal. Essa ternura bruta que destrói por excesso inábil de amor. Restou-me o consolo de ter sido o primeiro a identificá-las como realmente eram. Ou como eu as via, duvidando que a visão dos outros fosse mais correta, profunda ou corajosa.

O sol já alto da manhã as fizera abrir os olhos investigando o ambiente. Creio que a brancura dos azulejos da cozinha as surpreendeu, pois em breve voltaram a encolher-se, alheias. Acostumadas como estavam aos vastos céus e campos percorridos dias inteiros, preferiam buscar as coisas perdidas no calor dos corpos uma da outra. Prática, minha mãe informava: eram boas para comer baratas. E conscientes de sua liberdade interrompida, elas esperavam pela tarefa que lhes era destinada.

Logo caminhavam pela casa inteira, desvendando segredos. As crianças seguravam-nas, embalando-as como nenéns. Sem esperar, de repente, a gente deparava com o olhar amarelo fixo duma — perturbando, interrogando, confundindo. A acusação muda fazia com que me investigasse ansioso, buscando erros. E punha-me em dia comigo mesmo, para me apresentar novamente a elas de banho tomado, unhas cortadas, rosto barbeado, cabelo penteado — na ilusão de que a limpeza externa arrancasse um aceno de aprovação. Mas eu sabia — embora, obstinado, recusasse a convicção até o último minuto —, sabia que seu olhar ultrapassava roupa, pele, carne, músculos e ossos para fixar-se num compartimento remoto, cujo conteúdo eu mesmo desconhecesse. Admitia-as envergonhado, mas hesitava em mostrar-me, criminoso negando o crime até a evidência dos fatos. Observava os olhares desviados dos adultos, e desviava também o meu, cirandando com eles na mesma negação.

As crianças disputavam a posse, é minha, não, é minha, manhê, a Cláudia quer se adonar das corujas, mas elas passavam adiante, sabendo-se para sempre impossuídas, indecifráveis. Disputavam também a primazia de batizá-las, ignorando que o anonimato fazia parte de sua natureza. Nessa ignorância, chamaram-nas Tutuca e Telecoteco. Pisquei um olho para elas, rindo da ingenuidade, tentando penetrar em sua intimidade, cada vez mais e mais negada. Ofélia e Hamlet, sugeriu um leitor óbvio de Shakespeare. Mas recusei-os ainda. Secretamente, reivindicava para mim seu batismo e posse, investigava almanaques em busca do nome que melhor assentasse. Chamá-las de alguma coisa seria dar um passo no caminho de seu conhecimento, como se sutilmente as fosse amoldando à minha maneira de desejá-las. Finalmente achei. Eram nomes de criaturas estranhas, indecifráveis como elas, já perdidas no tempo, misteriosas até hoje. Rasputin e Cassandra. Calei a descoberta, ocultei o batizado, apropriando-me cada vez mais de sua natureza, embora inconscientemente soubesse da inutilidade de tudo. Rasputin era menor, mais ágil, caminhava lento pelo parquê, os olhos sempre abertos, inesperadamente alcançando o encosto das cadeiras num voo raso. Cassandra procurava os cantos escuros, os olhos constantemente semicerrados, uma perna encolhida, em atitude de rosto-pendido-e-ar-pensativo.

A fome

Passados os primeiros dias, principiaram a entrar na rotina. Vezenquando ainda me surpreendia a encará-las num duelo de mistérios. Eu, ocultando cuidadoso o meu, feroz na defesa, embora fosse sempre o primeiro a desviar os olhos. Recusei tocá-las. A maciez de seus corpos passava quente, impassível, de mão em mão, quando havia visitas. E só nessas ocasiões elas voltavam a espantar. Cumpriam honestamente sua tarefa de devorar baratas, mas recusavam qualquer outro alimento. O homem que as trouxera informara a minha mãe de seu orgulho: feridas em liberdade, faziam greve de fome até a morte. Com a iminência de seu suicídio, planejamos soltá-las no campo. Quase podia vê-las erguendo-se de leve num voo contido, experimentando forças, as asas abrindo-se aos poucos numa subida lenta, fundidas em azul, subindo, subindo.

As asas cortadas, porém, exigiam tempo para crescer novamente. Éramos obrigados a esperar. Desejei comunicá-las sua próxima libertação, mas a ineficiência de gestos e palavras isolou-me num mutismo para elas incompreensível. Éramos definitivamente incomunicáveis. Eu, gente; elas, bichos. Corujas, mesmo batizadas em segredo. Cassandra e Rasputin. Ofélia e Hamlet. Tutuca e Telecoteco. Qualquer nome não modificaria a sua natureza. Nunca. Corujas para sempre.

Mas a greve de fome persistia. Tão bem cumpriram seu serviço de comer baratas que em breve, creio, não restava mais nenhuma. Orgulhosas, passeavam seus estômagos vazios pela casa toda, a gente se olhando culpado, as mãos desertas de soluções. Não nos restava mais nada a fazer senão esperar. Por sua morte ou sua capitulação. Quem as visse, convictas em seu desfilar faminto, poderia facilmente imaginá-las carregando cartazes de protesto. Contra quê? Contra quem? perguntávamos temerosos da resposta óbvia.

Desfecho

Num começo de manhã ainda sem sol, igual à que as tinha trazido, Rasputin foi encontrado morto. O corpo pequeno e cinzento, já rígido, sobre os mosaicos frios da cozinha. Desviei os olhos sem dar nome ao sentimento que me invadia. Encolhida em seu canto, Cassandra diminuía cada vez mais. Olhos cerrados com força, eu tinha impressão que vezenquando seu corpo oscilava, talo de capim ao vento, quase quebrado. Até que morreu também. Digna e solitária, quem sabe virgem. Enterraram-na no fundo do quintal, uns jasmins jogados por cima da cova rasa, feita com as mãos.

Não fui ver a sepultura. Não sei se me assustava o mistério adensado ou para sempre desfeito.

***Inventário do ir-remediável*, 1970**

O coração de Alzira

Pois que ele era uma pessoa e ela outra, descobriu de repente, afastando as cortinas. E eu que quis fazer de mim algo tão claro como um rio sem profundidade, disse para si mesma, em distração colocando em movimento os átomos de poeira. Curvou-se até o chão para apanhar um grampo. Quando se curvava assim, o cabelo caindo no rosto, assumia um ar humilde de coisa grande que se curva.

Ela era toda grande, de mãos e pés e olhos e busto, mas um grande que não se impunha, não feria. Um grande que pousava como quem já vai embora. Ela parecia levantar voo, no surpreendente de que ao elevar-se não deslocasse o ar em torno nem provocasse ventania. Até mesmo seu coração era grande. Era coração, aquele escondido pedaço de ser onde fica guardado o que se sente e o que se pensa sobre as pessoas das quais se gosta? Devia ser. Para tornar mais fácil o desenrolar do pensamento, ela concordava. E argumentava de si para si, lembrando músicas e poemas vagamente vulgares que falavam em coração: pois se alguém fazia uma música ou um poema forçosamente devia ser mais inteligente do que ela, que nunca fizera nada. Alguém mais inteligente certamente saberia o lugar exato onde ficam guardadas essas coisas. Coração, então, repetiu para si, consumando a descoberta. E acrescentou: mas ele está tão longe. Podia dar um tom de desalento ao que pensava, mas podia também solicitar, agredir, exigir. Qualquer coisa que doesse.

Ai, a necessidade que tinha de doer em alguém, como se já estivesse exausta de tanto ser grande e boa. Por um instante conteve um movimento, toda concentrada no desejo de ser pequena e má e vil e mesquinha. Até mesmo um pouco corcunda ou meio vesga de tanta ruindade. Ou continuar a ser grande, mas sem aquela bondade que pesava, para tornar-se lasciva. Obscena. Mas o máximo de obscenidade que conseguia era entrar de repente no banheiro quando o marido tomava banho, afastando as cortinas para entregar a ele um sabonete ou perguntar qualquer coisa sem importância. O importante era que o motivo não fosse importante. Justamente aí estava o obsceno. Depois saía toda corada, pisando na ponta dos pés e rindo um risinho de virgem. Virgem. Ai, estava tudo tão mudado que as meninas não davam mais importância à virgindade, andavam de calça comprida, cortavam os cabelos curtinho, fumavam, até fumavam, meu Deus. E os rapazes, então, cabelos imensos, colares, roupas coloridas. Meu Deus, ela repetia para si e para os outros que não sabia mais distinguir um jovem de uma jovem, e que isso a perturbava como se tivesse um filho ou uma filha e não soubesse dizer se era mesmo filho ou filha. Ai, era terrível.

Espiou o marido nu, as cobertas afastadas por causa do calor. Ai, era tão moço ainda, tão não-sei-como que dava uma vontade meio bruta de machucá-lo só porque era assim daquele jeito. Sentou na poltrona à beira da cama, espiando o dia. Mas ele é uma pessoa, eu sou outra, repetiu, repetiu, recusando a claridade que entrava pela janela para se encolher dentro dela, toda sem problemas nem angústias. De manhã bem cedo.

— Jorge — chamou, a voz ressoando estranha no silêncio. E desejou que ele abrisse os olhos e sorrisse dizendo: Alzira.

Mas ele não abriu os olhos, não sorriu nem disse. Então ela pensou e esta empregada que não chega. Era de manhã-bem-cedo e a empregada só chegava de manhã--bem-tarde. A dor que sentia de ser assim tão como era. Sorriu devagar, prosseguindo na doçura que sempre fora o seu caminho. O marido tinha cabelos no peito, pernas grossas, braços fortes. Ela era gorda, mole, grande. O marido tinha olhos azuis. Ela, pretos. Pretos como a noite, ele escrevera num poema antes de casarem. O marido tinha mãos quadradas, dedos compridos. Ela, grandes, redondas, gordas, acolchoadas. Leves como as de uma fada — o poema era o mesmo, mas as mãos também seriam? Precisava encerar o chão, mandar as cortinas para a lavanderia, fazer café. Ah, era domingo. Só agora ela lembrava. A empregada não viria. Era dia do marido dormir até tarde. Era dia dela mesma ficar na cama até as dez. Era dia de tantas coisas diferentes dos outros dias que ela conteve a respiração, abalada no que estivera construindo e preparando para um dia que não seria mais.

Vagou inquieta pelo quarto. Era domingo. Se fumasse, acenderia agora um cigarro para ficar com ar de pessoa distraída. Mas assim tão sem vícios e portanto sem ter sobre o que derramar a distração que desejava, ai — assim ficava tão solta. Perdi até o sono, suspirou, como se o sono fosse a sua última reserva de segurança. Nem de ler eu gosto, acrescentou. E estou com preguiça de trabalhar e tenho vontade de falar um palavrão, que merda também. Sem sentir, conseguira a distração que procurava. Mas agora que chegava a ela, consciente de que chegara, a distração se esgotava. Fazia-se necessário ir adiante. Mas o que vinha depois de uma distração? Não tinha em que nem como se concentrar. Nunca tivera instrumentos para forçar a atenção num determinado ponto. Era tão pobre. Tão.

Ai.

Caminhou até o banheiro, afogou a agitação abrindo três torneiras ao mesmo tempo. A água escorrendo gerava uma espécie de paz dentro dela. Molhou as pontas dos dedos, passou-as devagar pelo rosto. O espelho refletia um rosto amassado de pessoa em estado de desordem interna e externa. Começou a escovar os cabelos, fechou a gola do robe amarelo, deu dois beliscões nas faces para torná-las mais coradas. Voltou ao quarto. O marido mudara de posição: encolhido feito feto, mãos cruzadas sobre o peito. Alzira sentou na beira da cama. Espreitou o dia avançando, o medo avançando. Estendeu a mão num experimento de ternura. Retraiu-se. A lembrança da discussão do dia anterior barrava qualquer gesto. Que fazer, que fazer, que fazer, perguntou-se lenta, sem entonação. Não havia resposta. Engoliu algo parecido com um soluço. A cabeça encostada no travesseiro, espiava o dia crescendo. De repente deu com o olhar do marido fixo nela. Aprumou-se inteira, preocupada em afetar uma naturalidade de pessoa surpreendida em meio à higiene íntima.

— Hoje é domingo — disse.

— Pois é — concordou o marido.

E ela queria tanto mas tanto tanto que ele dissesse o nome dela assim bem devagarinho Al-zi-ra como se as sílabas fossem uma casquinha de sorvete quebrada entre os dentes e quase perguntava como é mesmo o meu nome? você lembra do meu nome? mas não adiantaria ele apenas a olharia surpreendido e se dissesse seria um dizer mecânico não aquele dizer denso lindo fundo e ela não queria isso não queria. Então falou:

— Dia de dormir até tarde.

E dormiu.

***Inventário do ir-remediável*, 1970**

Fuga

Para Cecília Nisemblat

Eles tinham seis anos de idade e iam fugir juntos. Lento, o menino enfiou o pião no bolso, sua única posse, e encaminhou-se para a porta. De dentro chegou a voz da mãe num prenúncio de reclamação está quase na hora do jantar, onde é que você vai? Não respondeu. Em silêncio, começou a concretizar o que há dois dias se desenrolava dentro dele. A segurança da coisa construída em imaginação durante horas de quietude emprestava a seus passos uma precisão até então inédita, permitindo-lhe a audácia de não responder, ignorando eventuais palmadas. O trinco quase machucou a mão no ato de fechar a porta, mas ele já começava a se distanciar das coisas que formavam "o que ficava". E o que ficava era tanto que praticamente não tinha nada além de: um pião no bolso e uma ideia na cabeça.

O morrer do sol colocava uma cor também de fuga nas casas, nas coisas, nas pessoas que cruzavam numa melancolia de anoitecer. Em breve as sombras se afirmariam em escuro e ele não estaria mais ali. A ideia poderia quebrá-lo por dentro, porque era duro de repente não estar mais num lugar. Mas ele nem se machucava, há tanto já adivinhara os movimentos interiores prevenindo os receios, precavendo-se contra a série de sentimentaloidices que se amontoariam bruscas sobre seu coração de seis anos de vida. Portanto, estava preparado. Dentro do tempo que vivera, dois dias era uma longa preparação de esquecimento que se impusera com método, recusando ternuras, comida na boca, cafuné antes de dormir. Estava todo delineado. E fugia.

Caminhava devagar, a coisa remexendo-se com gosto dentro dele. Num esquecimento de que era insípida, quase estalava a língua de puro prazer. Mãos nos bolsos, cabeça baixa, ah nunca se sentira tão definitivo. Era seu primeiro crime, e tão longamente premeditado que não havia espanto nem temor. Como um profissional da fuga, ia indo pela calçada comprida, rente ao muro. O sol espichava sua sombra para trás, vezenquando ele se voltava para ver se ela ainda o acompanhava. Ainda. Expressava seu alívio em forma de suspiro, e prosseguia. Permitia-se apenas esse medo, o de estar sozinho. Mas aquela sombra imensa e achatada contra o cimento não deixava de ser uma segurança, embora disforme.

Pegou uma pedrinha branca e começou a riscar o calçamento. Depois enfiou-a no bolso, numa sabedoria de coisa decidida: poderiam segui-lo através do risco fino, irregular. Ainda mais seguro, olhou quase vesgo de satisfação para uma senhora com a bolsa grávida de compras. A mulher encarou-o com desconfiança. Ele parou, o medo se transformando em desafio nos olhos que meio furavam a natureza da mulher. Suspensos no meio da tarde, mediam-se expectantes. Pensou em correr, depois riu um risinho cínico que aprendera na televisão — ela não sabia de seu crime. Então esperou. Até que a mulher abriu a bolsa e estendeu-lhe dois biscoitos. Balbuciou um agradecimento de espanto com tanta inocência humana e enfiou-os no bolso, junto com a pedrinha branca. A silhueta da mulher morria na esquina quando ele se interrogou, numa primeira incompreensão. Saíra de casa apenas com o pião, agora já tinha dois biscoitos, uma sombra, uma pedrinha branca e um acontecimento. Fugir não era então ir-se despojando de coisas? Não entendeu, mas o poste que marcava longe o lugar do encontro suspendeu a dúvida. Preocupado, encaminhou-se para lá.

Não via a menina. Correu para o poste, investigou as pessoas que passavam mas nenhuma tinha jeito-de-menina-que-ia-fugir. Coçou a cabeça. Num desânimo, esperar. Acomodou a irritação no meio-fio, tirou as posses do bolso. Começava por um biscoito, depois brincava com o pião, depois o outro biscoito, depois desenhava no chão com a pedrinha branca, depois pensava na coisa acontecida. Detestava a improvisação, por isso ficou um pouco abalado com a ausência da menina e teve que planejar ações em que não havia pensado. Começava a desconfiar seriamente da honestidade do sexo oposto. Acumulou uma série de queixas que abalaram o prestígio da menina, e preparava-se para pensá-las quando o biscoito sobre a calça fez um jeito fascinante, assim meio pedindo para ser comido. Havia-se recusado tantas coisas nos últimos dois dias que guardava mesmo um pouco de fome formando um espaço branco no estômago. Rompendo com o planejamento, devorou voraz os dois biscoitos, depois misturou pedaços de unhas aos farelos restantes. Quase saciado, girou o pião de leve no cimento. Um menino que passava olhou fixo, invejando. Lembrou da impontualidade da menina e perguntou objetivo:

— Quer fugir comigo?

Inexperiente dessas coisas, o outro arregalou os olhos:

— Quê?

— Quer fugir comigo?

— Pra onde?

— Não sei ainda. Qualquer lugar.

— Pode ser Vênus?

— Pode.

— E Gotham City?

— Pode.

— E... e... (a geografia falhava).

— Quer ou não quer?

— Não sei, o que é que você me dá se eu fugir com você?

O menino investigou as posses desfalcadas. Percebeu o brilho de cobiça nos olhos do outro:

— O pião. Quer?

O outro fez cara de dúvida:

— Sei não. Isso presta?

— Quer ou não quer? ("É pegar ou largar", dizia o gângster na televisão.)

— Quero.

Estendeu a mão. O menino fez um movimento esquivo de dissimulação.

— Agora não. Só depois que a gente chegar lá.

— Lá onde?

— No lugar, ora.

— Que lugar?

— O lugar para onde a gente vai fugir.

— Mas você não disse que não sabe onde é?

— Disse.

— Então pode levar anos.

— E daí?

— Daí que eu quero o pião agora.

Desacostumado a argumentar, estendeu o pião. Antes que pudesse fazer qualquer gesto, o outro já ia longe, risada dobrando a esquina, o pião roubado, a promessa não cumprida. Todo magoado com a desonestidade alheia, voltou a pensar na menina. Encaminhou-se para a casa dela. Bateu devagar na porta. A mãe da menina espiou pela janela.

— A Lucinha está?

— Não. Foi no aniversário da menina aqui do lado.

Meio que tropeçou no inesperado da coisa. Devia ter ficado pálido, porque a mãe-da-menina-que-ia-fugir dobrou-se para ele, perguntando se estava sentindo alguma coisa. Estava. Mas como desconhecia aquela onda verde bem claro que se quebrava incompleta dentro dele, não teve palavras para explicar.

Disse não não tenho nada, e foi saindo de cabeça baixa. Já não só duvidava da menina, mas principalmente de si próprio. Parecia-lhe um pouco culpa sua aquele amontoado de desencontros. De dez minutos para cá aconteciam coisas tão incompreensíveis que estava quase desistindo. Por uma questão de dignidade, bateu na porta da casa da menina-que-estava-de-aniversário, que apareceu de vestido cor-de-rosa perguntando se ele tinha trazido presente. Ele desentendeu um pouco mais, ainda assim fez voz firme e pediu para falar com a menina-que-ia-fugir. Com o maior cinismo do mundo, ela brotou de repente duma nuvem de babadinhos, a cara limpa, o cabelo penteado com uma fita — ela, a falsa, que vivia com os fios na boca. Mais grave: um copo de guaraná e uma cocada nas mãos. Nunca a vira tão Lucinha em toda a sua vida.

Teve vontade de dar um tiro nela. Mas estava tão desarmado que só conseguiu perguntar com voz meio irregular:

— Você não ia fugir comigo?

— Ia — disse a menina mordendo a cocada. E ai! o espaço branco da fome cintilou dentro dele.

— Esperei você até agora. Por que que você não foi?

— Por causa do aniversário, ué.

— E o que que tem isso?

— Tem que fugir a gente pode todos os dias, mas aniversário é só de vezenquando.

Tinha selecionado uma porção de adjetivos pejorativos para jogar em cima dela, mas o pretexto era de uma lógica tão irrecusável que ele ficou parado uma porção de tempo, sentindo o tudo que preparara lento em dois longos dias de meditação ir-se desfazendo como a cocada na boca da menina.

Ela olhava para ele, ele pensava na frase, pensava, pensava, ai, o espaço branco aumentando por dentro, uma baita raiva da menina, da mulher que dera os biscoitos, do moleque que fugira com o pião, vontade de bater neles todos ou, na impossibilidade, sapatear até ficar roxo e a mãe chamar o médico num susto. Mas os barulhos da festa cresciam lá dentro, o sol morrendo dourava ainda mais o guaraná, o espaço em branco aumentava até o não-suportar-mais.

Indeciso ainda, virou o pé leve no chão. Até que deixou de lado o pudor e perguntou:

— Será que ela deixa eu entrar sem presente?

***Inventário do ir-remediável*, 1970**

Oásis

Para José Cláudio Abreu, Luiz Carlos Moura
e o negrinho Jorge

A brincadeira não era difícil: bastava que nos concentrássemos o suficiente para conseguirmos transformar tudo que havia em volta. E treinados como estávamos nas imaginações mais delirantes, era relativamente fácil avistar um deserto na rua comprida e um oásis no arco branco do portão do quartel, lá no fundo. Algumas vezes tentamos iniciar um ou outro guri da nossa idade, mas eles não conseguiam nunca chegar até o fim. Os mais persistentes alcançavam a metade do caminho, mas era mais comum rirem de saída e irem cuidar de outra coisa. Talvez porque, ao contrário de nós três, nunca houvessem visto o quartel por dentro, com seus lagos, cavalos, alamedas calçadas, eucaliptos, cinamomos, soldados.

Acho mesmo que foi naquela tarde em que visitamos o quartel pela primeira vez que a brincadeira nasceu. Absolutamente fascinados, sentimos necessidade de vê-lo mais e mais vezes, principalmente ficamos surpresos por não termos jamais imaginado quantas maravilhas se escondiam atrás daquele portão branco, e tão tangíveis, ali, no fim da rua de nossa casa. Não sei de quem partiu a ideia mas, seja de quem for, ele foi muito sutil ao propô-la, disfarçando a coisa de tal jeito que não suspeitamos tratar-se de apenas um pretexto para visitar mais vezes o quartel. Claro que não confessaríamos claramente nosso fascínio, tão empenhados andávamos em, constantemente, simular um fastio em relação a todas as coisas. Fastio esse que, para nós, era sinônimo de superioridade.

Era preciso bastante sol para brincar — fazíamos questão de ficar empapados de suor e de sentirmos sobre as cabeças aquela massa amarela quase esmagando os miolos. Era preciso também que não houvesse chovido nos dias anteriores, pois, por mais hábeis que fôssemos para distorcer pequenos ou grandes detalhes, não o éramos a ponto de aceitar um deserto lamacento. Quando todas essas coisas se combinavam, a proposta partia de qualquer um de nós.

Brincar de oásis era a senha, e imediatamente caíamos no chão, ainda desacordados com o choque produzido pela queda do avião onde viajávamos, depois lentamente abríamos os olhos e tateávamos em volta, no meio da rua, tocando as pedras escaldantes da hora de sesta. Quase sempre Jorge voltava a fechar os olhos, dizendo que preferia morrer ali mesmo do que ficar dias e dias se cansando à toa pelo deserto. E quase sempre eu apontava para o arco no fim da rua, dizendo que se tratava de um oásis, que meu avião já havia caído lá uma vez e que, enfim, tinha experiência de caminhadas no deserto. Em seguida Luiz investigava os bolsos e apresentava algum biscoito velho, acrescentando que tínhamos víveres suficientes para chegar lá. Convencido Jorge, tudo se passava normalmente. Aos poucos nossas posturas iam decaindo: no fim da primeira quadra, tínhamos os ombros baixos, as pernas moles — na altura do colégio das freiras começávamos a tropeçar e, para não cair, nos segurávamos no muro de tijolos musguentos.

A partir do colégio as casas rareavam, e além de algumas pensões de putas não havia senão campo, cercas de arame farpado e a poeira solta e vermelha do meio da rua.

Então, sem nenhum pudor, andávamos nos arrastando enquanto algumas daquelas mulheres espantosamente loiras nos observavam das janelas por baixo das pálpebras azuis e verdes, pintando as unhas e tomando chimarrão embaixo das parreiras carregadas. Tudo se desenvolvia por etapas que eram vencidas sem nenhuma palavra, sem sequer um olhar. Raramente alguém esquecia alguma coisa. Apenas uma vez Jorge não resistiu e, interrompendo por um momento a caminhada, pediu um copo d'água para uma daquelas mulheres. Eu e Luiz nos entreolhamos sem falar, escandalizados com o que julgávamos uma imperdoável traição. Mas a tal ponto nos comunicávamos que, mal voltou, a água ainda pingando do queixo, Jorge justificou-se com um sorriso deslavado:

— Foi uma miragem.

A partir de então as miragens se multiplicaram: vacas que atravessavam a rua, pitangueiras no meio do campo, alguma pedrada num passarinho mais distraído. Chegávamos no portão e ficávamos olhando para dentro, sem coragem de entrar, com medo dos dois soldados de guarda. Lá dentro: o paraíso. Mas era como se tivéssemos entrado: voltávamos novamente eretos, bem-dispostos, com as peças para consertar o avião caído e que, sem a menor explicação, tínhamos encontrado entre duas palmeiras.

Houve um verão de seca tão intensa, sol, poeira, sede e crepúsculos esbraseados, que brincávamos quase todos os dias. Acabamos fazendo amizade com um soldado que ficava de guarda às segundas, quartas e sextas. Aos poucos, então, começamos a suborná-lo, usando os métodos mais sedutores, adestrando-nos em cinismos. Começamos por mostrar a ele figurinhas de álbum, depois levando revistas velhas, biscoitos, rapaduras, pedaços de galinha assada do almoço de domingo, garrafas vazias e, finalmente, até mesmo alguma camisa que misteriosamente desaparecia do varal de casa. Mas a vitória só foi consumada quando Dejanira, a empregada, entrou em cena. Com muito tato, conseguimos interessar o soldado numa misteriosa mulata que espiava todos os dias a sua passagem para o quartel, de manhã cedinho, escondida atrás da janela da sala. Era uma mulata tímida e lânguida, que fazia versos às escondidas e pensava vagamente em suicídio nas noites de lua cheia. Dejanira parecia um nome muito vulgar para uma criatura de tais qualidades, então tornamos a batizá-la de Dejanira Valéria e, pouco a pouco, fomos acrescentando mais e mais detalhes, até conseguir enredar o soldado a um ponto que ele chegava a nos convidar para entrar no quartel. Antes do avião cair nos esmerávamos em forjar bilhetes cheios de solecismos e compor versos de pé quebrado em folhas de caderno, sensualmente assinados por *docemente tua, Dejanira Valéria,* numa caligrafia que Luiz caprichadamente enchia de meneios barrocos altamente sedutores. E na hora do banho Dejanira não entendia por que a tratávamos com tanto respeito, chamando-a candidamente de *doce Valéria,* até que nos enchia de cascudos e palavrões. Mas a confiança do soldado estava ganha: já agora se empenhava em nos agradar, atraindo-nos para dentro do quartel e permitindo que ficássemos horas zanzando pelo pátio calçado, as árvores pintadas de branco até a metade, os cavalos de cheiro forte e crina cortada, apitos, continências, bater de pés e outras senhas absolutamente incompreensíveis e deslumbrantes em seu mistério. Coisas estranhas se passavam ali, e tínhamos certeza de estarmos lentamente ingressando numa espécie de sociedade mágica e secreta.

Foi quando, uma tarde, tudo se passando exatamente como das outras vezes, nos encontramos os três parados à frente de um portão sem guarda. Não conseguimos compreender, mas estávamos tão habituados a entrar e a passar despercebidos que, como das outras vezes, entramos. Havia um movimento incomum lá dentro: carroças se chocavam, armas passavam de um lado para outro, soldados corriam e gritavam palavrões, o chão estava sujo de esterco, os cavalos todos enfileirados. Conseguimos passar mais ou menos incógnitos pelo meio da babilônia, até chegarmos numa sala onde nunca estivéramos antes. Examinamos as paredes vazias, depois descobrimos num canto, sobre uma mesa, um estranho aparelho cheio de fios. Jorge descobriu um microfone e, por algum tempo, ficamos ali parados, sem compreender exatamente o que era aquilo, mas certos de que se tratava de uma peça importantíssima para o funcionamento de toda a organização.

Estávamos tão entretidos na descoberta que não percebemos quando entraram dois soldados com fardas diferentes das dos outros, com penduricalhos coloridos nos ombros. Fui o primeiro a vê-los, mas não foi possível avisar os outros: os soldados já avançavam sobre nós, vermelhos, segurando-nos pelos ombros e nos sacudindo até que Jorge começasse a chorar e a chamar pela mãe. Falavam os dois ao mesmo tempo, aos berros. Depois, com mais alguns trancos, nos jogaram num canto. Um deles, de enorme bigode preto, avançou para nós e, com uma voz que me pareceu completamente hedionda, disse que ficaríamos presos até aprendermos a não nos meter onde não era da nossa conta. Ainda discutiu um pouco com o outro, que parecia estar do nosso lado, pelo menos torcemos para que fosse assim. Mas não adiantou nada: o de bigode enorme disse que era só um susto, e saiu nos empurrando até a prisão.

Era um quartinho ainda menor que o de Dejanira, infinitamente mais sujo e frio, apesar de todo o calor que fazia lá fora, com uma janelinha gradeada na altura do teto. Ficamos ali durante muito tempo, incapazes de dizer qualquer palavra, num temor tão espesso que não era preciso evidenciá-lo através de um grito. Jorge chorava, eu e Luiz nos encolhíamos contra as paredes. Pensamentos terríveis cruzavam a minha cabeça, pelotões, fuzilamentos, enquanto uma dor de barriga se tornava cada vez mais insuportável, até escorregar pelas pernas numa massa visguenta.

Já era noite quando vimos com alívio a porta se abrir para dar passagem ao soldado nosso conhecido. Sem falar nada, fomos levados para casa num jipe militar. Mamãe estava descabelada, as vizinhas todas em volta, as luzes acesas: entramos na sala pela mão do soldado, que falou rapidamente coisas que não conseguimos entender, enquanto todo mundo nos envolvia em beijos e abraços, logo contidos quando perceberam meu estado lastimável. Mamãe disse que a culpada era Dejanira, que não cuidava de nós; papai disse que a culpada era mamãe, que nos entregava a Dejanira; Dejanira disse que os culpados éramos nós, uns demônios capazes de enlouquecer qualquer vivente; mamãe disse que Dejanira era uma china desaforada, e que demônios eram os da laia dela, e que o culpado era papai, que achava que em criança não se bate; Dejanira disse que não ficava mais nem um minuto naquela casa de doidos; papai disse que mamãe não nos dava a mínima; mamãe disse que era uma verdadeira escrava e que os homens só queriam mesmo as mulheres para *aquilo;* papai disse que não podia dar atenção a seus faniquitos na hora em que o país atravessava uma crise tão grave. E acabaram os três gritando tão alto quanto os dois soldados de farda diferente, com penduricalhos coloridos nos ombros.

Depois do banho assistimos à partida de uma Dejanira nem um pouco Valéria e muito menos lânguida: jogava as roupas na mala e resmungava desaforos em voz baixa. Doía vê-la ir embora, mas as chineladas e a vara de marmelo doeram muito mais.

Fomos postos na cama sem jantar. Ficamos muito tempo acordados no escuro, ouvindo o som do rádio que vinha da sala e os passos apressados na rua. Antes de dormir ainda ouvi a voz de Jorge perguntando a Luiz o que era uma revolução, e um pouco mais tarde a voz de Luiz, apagada e hesitante, dizer que achava que revolução era assim como uma guerra pequena. Mais tarde, não sei se sonhei ou se pensei realmente que os aviões não caíam no meio das ruas, e que as ruas não eram desertos, e que portões brancos de quartéis não eram oásis. E que mesmo que portões brancos de quartéis fossem oásis e cinamomos pintados de branco até a metade fossem palmeiras, não se encontraria nunca uma peça de avião no meio de duas palmeiras. E por todas essas coisas, creio, soube que nunca mais voltaríamos a brincar de encontrar oásis no fim das ruas. Embora fosse muito fácil, naquele tempo.

***O ovo apunhalado*, 1975**

Visita

Era perfectamente natural que te acordaras de él a la hora de las nostalgias, cuando uno se deja corromper por esas ausencias que llamamos recuerdos y hay que remendar con palabras y con imágenes tanto hueco insaciable.

Julio Cortázar
Final del juego

Eu gostaria de ficar para sempre ali, parado naqueles degraus gastos, sentindo as sombras se adensarem no jardim que ficava logo após aqueles degraus onde eu pisava agora, estendidos até o portãozinho enferrujado que há pouco eu abrira, ouvindo os rumores da rua coados pela espessa folhagem, olhando seu rosto envelhecido e doce, com os cabelos presos na nuca e um velho camafeu sobre a gola de renda, tudo um pouco antigo, como se ela gostasse de tocar piano quando entardecia, bebericando qualquer coisa leve como um chá de jasmins, enquanto as sombras na escada ficavam mais e mais densas, até que os ruídos das crianças fossem amortecendo nas calçadas e de repente ela percebesse ter ficado completamente no escuro, apesar das luzes da rua refletidas com um brilho frio nos cristais empoeirados do armário, e então.

Então ela me olhava com seus olhos gentis acostumados à sombra e talvez não distinguisse bem meus contornos contra a rua ainda batida de sol, mas não fiz um movimento antes de perceber que seus lábios abriam-se amáveis, como num sorriso, um sorriso antigo, desses dirigidos a um fotógrafo de aniversário, e para não perturbá-la disse apenas que queria ver o quarto dele, e achei difícil dizer qualquer coisa, e não consigo lembrar se realmente disse ou apenas meti a mão no bolso para mostrar um amassado recorte de jornal, sem dizer nada, e então o seu sorriso se alargasse mais, compreendendo, mas ainda assim discreto, e ela afastasse lentamente o corpo como dizendo que estava às ordens e depois me conduzisse pelo corredor silencioso e atapetado e eu visse os retratos dos velhos parentes mortos dispostos pela parede e juntando ao acaso os olhos claros de um, o vinco no canto da boca de outro, a mecha rebelde no cabelo de um terceiro, o ar solitário de um quarto — e antes que ela se detivesse aos pés da escada, os dedos da mão esquerda postos sobre o corrimão branco, um pouco espantada com a minha demora —, mas antes disso eu já tivesse tido tempo suficiente para recompor o rosto dele, traço por traço de seus velhos parentes mortos, e como uma garra áspera me apertasse então a memória e para não sufocar eu olhasse rapidamente a salinha com móveis de madeira e palha e visse a um canto o piano entreaberto com a xícara de chá de jasmins e um fino fio de fumaça ainda subindo e depois.

E depois sorrisse para ela, também amavelmente, e subisse devagar a escada, acompanhando o ritmo de seus passos, e visse seus sapatos de saltos grossos, e desviasse o olhar para minha própria mão, tão branca quanto o corrimão da escada, e voltasse a mesma garra áspera na minha garganta e pensasse, então, pensei nos dedos dele, todos os dias, fazia tanto tempo, desbravando o mesmo caminho pelo corrimão empoeirado, sentindo o vago cheiro de mofo se desprender de todos os cantos e novamente parasse, opresso, e novamente ela me acudisse, à porta do quarto, dizendo em voz baixa, tão baixa que tento lembrar se ela realmente chegou a dizer alguma coisa como: era aqui que ele morava: e abrisse a porta com seus gestos lentos e acendesse a luz e então.

Então julguei ver nos olhos dela um brilho fugitivo de lágrima muitas vezes contida, e antes de entrar pensei ainda, quase ferozmente, que bastava voltar as costas e descer correndo as mesmas escadas, sem tocar no corrimão, passar pela porta entreaberta da sala sem olhar para o piano, atravessar o corredor sem erguer os olhos para a galeria de retratos e alcançar a porta carcomida e novamente o jardim e novamente abrir o portãozinho enferrujado e sair para a rua quente de sol e de vida, mas.

Mas sem fazer nenhuma dessas coisas, desviar-me de seu corpo frágil e penetrar no quarto e saber, então, que já não poderei dar meia-volta para ir embora e.

E dentro do quarto, olhar para os livros desarrumados nas prateleiras, a cama com os lençóis ainda fora do lugar, como se há pouco alguém tivesse se erguido dali, e uma reprodução qualquer na parede, talvez uma figura disforme de Bosch que mais tarde eu olharia com atenção, tocando talvez, talvez tocasse no papel amarelado e sorrisse pensando em todos os monstros que ele carregava consigo sem jamais mostrá-los a ela, que dizia não ter tocado em nada, toda de preto, apenas aquele camafeu de marfim no pescoço, e eu pensasse em prendê-la um momento mais até que ela tocasse com os dedos da cor do camafeu nos veios duros da porta e não dissesse nada, como se tudo em volta se obscurecesse e de repente apenas aquele movimento dos dedos sobre os veios duros da madeira da porta tivesse vida, embora fosse morte, e também essa coisa que chamamos saudade e que é preciso alimentar com pequenos rituais para que a memória não se desfaça como uma velha tapeçaria exposta ao vento. Ela já não sorri. Apenas diz que é melhor que eu fique sozinho, e fecha a porta, e se vai, depois, deixando-me enredado num movimento que preciso escolher, porque não é possível permanecer para sempre estático no meio do quarto, atento apenas ao rápido e confuso desenrolar da memória. Mas nada faço. Permaneço em pé no meio do quarto e a porta se fecha sobre mim. E vejo os telhados onde jogávamos migalhas de pão para os passarinhos, escondidos para não assustá-los, até que eles viessem, mas não vinham nunca, era difícil seduzir os que têm asas, já sabíamos, mas ainda assim continuávamos jogando migalhas que a chuva dissolvia, intocadas. Não era difícil vê-lo ali, e ouvir seus passos longos subindo de dois em dois os degraus para abrir a porta e ficar me olhando sem dizer nada, até que nos abraçássemos e eu sentisse, como antigamente, a mecha rebelde de seu cabelo roçar-me a face como uma garra áspera e então soubesse nada ver, nada ouvir, e movimentasse meu corpo parado no meio do quarto para a cama sob a janela e mergulhando a cabeça nos lençóis desarrumados procurasse uma espécie de calor, imune ao tempo, às traças e à poeira, e procurasse o cheiro dele pelos cantos do quarto, e o chamasse com dor pelo nome, o nome que teve, antigamente, e nada encontrasse, porque tudo se perde e os ventos sopram levando as folhas de papel para longe, para além das janelas entreabertas sobre o telhado onde não restam mais migalhas para os pássaros que não vieram nunca. Mas não choro, mesmo que de repente me perceba no chão, buscando uma marca de sapato, um fio de linha ou de cabelo, os cabelos dele caíam sempre, ele os jogava sobre os telhados pelas tardes, repetindo nunca mais, nunca mais, e acreditávamos que um dia seríamos grandes, embora aos poucos fossem nos bastando miúdas alegrias cotidianas que não repartíamos, medrosos que um ridicularizasse a modéstia do outro, pois queríamos ser épicos heroicos românticos descabelados suicidas, porque era duro lá fora fingir que éramos pessoas como as outras, mas nos cantos daquele quarto tínhamos força sangue esperma, talvez febre, feito tivéssemos malária e delirássemos juntos navegando na mesma alucinação que a matéria fria da guarda da cama não traz de volta, porque tudo passou e é inútil continuar aqui, procurando o que não vou achar, entre livros que não me atrevo a abrir para não encontrar seu nome, o nome que teve, e certificar-me de que a vida é exatamente esta, a minha, e que não a troquei por nenhuma outra, de sonho, de invento, de fantasia, embora ainda o escute a dizer que compreende que alguns outros devem ter sentido a mesma dor, e a suportaram, mas que esta dor é a dele, e não a suportaria, e saber que tudo isso se perdeu como o calor do chá de jasmins esquecido sobre o piano, e então.

E então tornar-me duro e pensar que tudo não passou de uma vertigem, e recusar o testemunho dolorido da memória e a mesma luz roxa de entardecer atravessando os verdes e os vidros para projetar sombras disformes na parede branca, e sacudir os ombros como se fosse real toda a poeira que existe sobre eles, e quase poder ver os pequenos átomos brilhantes dançando um pouco no ar antes de se depositarem sobre o tapete, os livros, a cama desfeita, e depois.

Depois apagar a luz e descer outra vez pelos degraus, mas não olhar para os dedos quase confundidos com o branco da escada, e passar pela sala e falar com ela sem que me veja e atravessar o corredor e vê-la junto ao piano e atravessar a porta e sair para os degraus e ultrapassar o jardim como se pudesse esquecer tudo que não vi, mas um momento antes de abrir o portão olhar para trás e fosse, então, como se a visse tão diluída que não soubesse se está realmente ali e perguntasse a ela qualquer coisa, em voz tão alta que as pessoas na rua parassem para olhar e eu tivesse certeza de que ela me escuta, que não está sentada junto ao piano, com o chá esfriando na sala escura e roxa, tão alto que a obrigue a voltar-se e encarar-me e dizer duramente que sim, que não, que tudo isso não é verdade, que todos nós, eu, ela, ele, todos os degraus e todas as sombras e todos os retratos fazemos parte de um sonho sonhado por qualquer outra pessoa que não ela, que não ele, que não eu.

O *ovo apunhalado*, 1975

Para uma avenca partindo

— Olha, antes do ônibus partir eu tenho uma porção de coisas pra te dizer, dessas coisas assim que não se dizem costumeiramente, sabe, dessas coisas tão difíceis de serem ditas que geralmente ficam caladas, porque nunca se sabe nem como serão ditas nem como serão ouvidas, compreende? olha, falta muito pouco tempo, e se eu não te disser agora talvez não diga nunca mais, porque tanto eu como você sentiremos uma falta enorme de todas essas coisas, e se elas não chegarem a ser ditas nem eu nem você nos sentiremos satisfeitos com tudo que existimos, porque elas não foram existidas completamente, entende, porque as vivemos apenas naquela dimensão em que é permitido viver, não, não é isso que eu quero dizer, não existe uma dimensão permitida e uma outra proibida, indevassável, não me entenda mal, mas é que a gente tem tanto medo de penetrar naquilo que não sabe se terá coragem de viver, no mais fundo, eu quero dizer, é isso mesmo, você está acompanhando o meu raciocínio? falava do mais fundo, desse que existe em você, em mim, em todos esses outros com suas malas, suas bolsas, suas maçãs, não, não sei por que todo mundo compra maçãs antes de viajar, nunca tinha pensando nisso, por favor, não me interrompa, realmente não sei, existem coisas que a gente ainda não pensou, que a gente talvez nunca pense, eu, por exemplo, nunca pensei que houvesse alguma coisa a dizer além de tudo o que já foi dito, ou melhor, pensei sim, não, pensar propriamente não, mas eu sabia, é verdade que eu sabia, que havia uma outra coisa atrás e além de nossas mãos dadas, dos nossos corpos nus, eu dentro de você, e mesmo atrás dos silêncios, aqueles silêncios saciados, quando a gente descobria alguma coisa pequena para observar, um fio de luz coado pela janela, um latido de cão no meio da noite, você sabe que eu não falaria dessas coisas se não tivesse a certeza de que você sentia o mesmo que eu a respeito dos fios de luz, dos latidos de cães, é, eu não falaria, uma vez eu disse que a nossa diferença fundamental é que você era capaz apenas de viver as superfícies, enquanto eu era capaz de ir ao mais fundo, de não sentir medo desse mais fundo, você riu porque eu dizia que não era cantando desvairadamente até ficar rouca que você ia conseguir saber alguma coisa a respeito de si própria, mas sabe, você tinha razão em rir daquele jeito porque eu também não tinha me dado conta de que enquanto ia dizendo aquelas coisas eu também cantava desvairadamente até ficar rouco, o que quero dizer é que nós dois cantamos desvairadamente até agora sem nos darmos conta, é por isso que estou tão rouco assim, não, não é dessa coisa da garganta que falo, é de uma outra, de dentro, entende? por favor, não ria dessa maneira nem fique consultando o relógio o tempo todo, não é preciso, deixa eu te dizer antes que o ônibus parta que você cresceu em mim dum jeito completamente insuspeitado, assim como se você fosse apenas uma semente e eu plantasse você esperando ver nascer uma plantinha qualquer, pequena, rala, uma avenca, talvez samambaia, no máximo uma roseira, é, não estou sendo agressivo não, esperava de você apenas coisas assim, avenca, samambaia, roseira, mas nunca, em nenhum momento essa coisa enorme que me obrigou a abrir todas as janelas, e depois as portas, e pouco a pouco derrubar todas as paredes e arrancar o telhado para que você crescesse livremente, você não cresceria se eu a mantivesse presa num pequeno vaso, eu compreendi a tempo que você precisava de muito espaço, claro, claro que eu compro uma revista pra você, eu sei, é bom ler durante a viagem, embora eu prefira ficar olhando pela janela e pensando coisas, estas mesmas coisas que estou tentando dizer a você sem conseguir, por favor, me ajuda, senão vai ser muito tarde, daqui a pouco não vai ser mais possível, e se eu não disser tudo não poderei nem dizer nem fazer mais nada, é preciso que a gente tente de todas as maneiras, é o que estou fazendo, sim, esta é minha última tentativa, olha, é bom você pegar sua passagem, porque você sempre perde tudo nessa sua bolsa, não sei como é que você consegue, é bom você ficar com ela na mão para evitar qualquer atraso, sim, é bom evitar os atrasos, mas agora escuta: eu queria te dizer uma porção de coisas, de uma porção de noites, ou tardes, ou manhãs, não importa a cor, é, a cor, o tempo é só uma questão de cor, não é? pois isso não importa, eu queria era te dizer dessas vezes em que eu te deixava e depois saía sozinho, pensando numa porção de coisas que eu ia te dizer depois, pensando também nas coisas que eu não ia te dizer, porque existem coisas terríveis que precisam ser ditas, não faça essa cara de espanto, elas são realmente terríveis, eu me perguntava se você era capaz de ouvir, se você teria, não sei, disponibilidade suficiente para ouvir, sim, era preciso estar disponível para ouvi-las, disponível em relação a quê? não sei, não me interrompa agora que estou quase conseguindo, disponível só, não é uma palavra bonita? sabe, eu me perguntava até que ponto você era aquilo que eu via em você ou apenas aquilo que eu queria ver em você, eu queria saber até que ponto você não era apenas uma projeção daquilo que eu sentia, e se era assim, até quando eu conseguiria ver em você todas essas coisas que me fascinavam e que no fundo, sempre no fundo, talvez nem fossem suas, mas minhas, e pensava que amar era só conseguir ver, e desamar era não mais conseguir ver, entende? dolorido-colorido, estou repetindo devagar para que você possa compreender, melhor, claro que dou um cigarro pra você, não, ainda não, faltam uns cinco minutos, eu sei que não devia fumar tanto, é, eu sei que os meus dentes estão ficando escuros, e essa tosse intolerável, você acha mesmo a minha tosse intolerável? eu estava dizendo, o que é mesmo que eu estava dizendo? ah: sabe, entre duas pessoas essas coisas sempre devem ser ditas, o fato de você achar minha tosse intolerável, por exemplo, eu poderia me aprofundar nisso e concluir que você não gosta de mim o suficiente, porque se você gostasse, gostaria também da minha tosse, dos meus dentes escuros, mas não aprofundando não concluo nada, fico só querendo te dizer de como eu te esperava quando a gente marcava qualquer coisa, de como eu olhava o relógio e andava de lá pra cá sem pensar definidamente em nada, mas não, não é isso, eu ainda queria chegar mais perto daquilo que está lá no centro e que um dia destes eu descobri existindo, porque eu nem supunha que existisse, acho que foi o fato de você partir que me fez descobrir tantas coisas, espera um pouco, eu vou te dizer de todas essas coisas, é por isso que estou falando, fecha a revista, por favor, olha, se você não prestar muita atenção você não vai conseguir entender nada, sei, sei, eu também gosto muito do Peter Fonda, mas isso agora não tem nenhuma importância, é fundamental que você escute todas as palavras, todas, e não fique tentando descobrir sentidos ocultos por trás do que estou dizendo, sim, eu reconheço que muitas vezes falei por metáforas, e que é chatíssimo falar por metáforas, pelo menos para quem ouve, e depois, você sabe, eu sempre tive essa preocupação idiota de dizer apenas coisas que não ferissem, está bem, eu espero aqui do lado da janela, é melhor mesmo você subir, continuamos conversando enquanto o ônibus não sai, espera, as maçãs ficam comigo, é muito importante, vou dizer tudo numa só frase, você vai

....

....

.........sim, sei, eu vou escrever, não, eu não vou escrever, mas é bom você botar um casaco, está esfriando tanto, depois, na estrada, olha, antes do ônibus partir eu quero te dizer uma porção de coisas, será que vai dar tempo? escuta, não fecha a janela, está tudo definido aqui dentro, é só uma coisa, espera um pouco mais, depois você arruma as malas e as bolsas, fica tranquila, esse velho não vai incomodar você, olha, eu ainda não disse tudo, e a culpa é única e exclusivamente sua, por que você fica sempre me interrompendo e me fazendo suspeitar que você não passa mesmo duma simples avenca? eu preciso de muito silêncio e de muita concentração para dizer todas as coisas que eu tinha pra te dizer, olha, antes de você ir embora eu quero te dizer quê.

O ovo apunhalado, 1975

ACONTECEU NA PRAÇA XV

Como uma personagem de Tânia Faillace: os restos da escassa dignidade do dia apodreciam entre o cheiro de pastéis, os encontrões e os ônibus da Praça XV. Não era uma personagem de ninguém, embora às vezes, mais por comodismo ou para não sentir-se desamparado como obra de autor anônimo, quisesse achar que sim. Mas à tardinha as dores doíam e o suor cheirava mal embaixo dos braços. À tardinha não tinha a quem recorrer e precisava controlar a vontade de dizer para qualquer alguém, olha, venci mais um. Quando a irritação não era muita, conseguia olhar para os lados pensando que dentro das corridas, dos gritos e dos cheiros havia como olhos que não precisavam se olhar para que uma silenciosa voz coletiva repetisse, olha, venci mais um; e, quando além da não irritação havia também um pouco de bom humor, conseguia até mesmo sorrir e falar qualquer coisa sobre o tempo com alguém da fila. Mas havia os dias molhados, quando as pessoas com capas e guarda-chuvas andavam por baixo das marquises espetando os olhos ou deixando ao desabrigo os sem capa nem guarda-chuva, como ele; mas havia aquelas pessoas que nos ônibus superlotados não sentavam imediatamente no lugar deixado vago, até que duas ou três paradas depois, tão discretamente quanto podia, ignorando grávidas, velhinhos e aleijados, ele se atrevesse a conquistar o banco (lavava muitas vezes as mãos depois de chegar em casa, canos viscosos — estafilococos, miasmas, meningites), embora soubesse que tudo ou nada disso tinha importância; mas havia as latas transbordantes de lixo e os cães sarnentos e os pivetes pedindo um-cruzeirinho--pra-minha-mãe-entrevada, mãos crispadas nas bolsas. O dia se reduzindo à sua exiguidade de ônibus tomados e máquinas batendo telefones cafezinhos pequenas paranoias visitas demoradas ao banheiro para que o tempo passasse mais depressa e o deixasse livre para. Para subir rápido a rua da Praia, atravessar a Borges, descer a galeria Chaves e plantar-se ali, entre o cheiro dos pastéis, gasolina, e o ardido-suor-dos-trabalhadores-do-Brasil, tentava inutilmente dar uma outra orientação ao cansaço despolitizado e à dor seca nas costas, alguém compreenderia? E para que tudo não doesse demais quando não era capaz de, apenas esperando, evitar o insuportável, fazia a si próprio perguntas como: se a vida é um circo, serei eu o palhaço? Às vezes também o domador que coloca a cabeça dentro da boca escancarada do leão, às vezes o equilibrista do arame suspenso no abismo, a bailarina sobre o pônei, e também o engolidor de espadas, e mais a mulher serrada ao meio — e ainda, o quê?

Inesperadamente, ela chegou por trás e afundou os dedos no seu cabelo, coçando-lhe a cabeça como fazia antigamente. Ele voltou-se e afundou os dedos no seu cabelo, coçando-lhe a cabeça como fazia antigamente. Depois os dois se abraçaram e se deram beijos nas duas faces e como duas pessoas que não se veem há muito tempo atropelaram perguntas como: por onde é que tu anda, criatura, ou exclamações como: mas tu não mudou nada, ou reticências tão demoradas que as filas chegavam a deter-se um pouco, as pessoas reclamando e uma hesitação entre mergulhar nas gentes entre um beijo e um me telefona qualquer dia e ficar ali e convidar para qualquer coisa, mas um medo que doesse remexer naquilo, e tão mais fácil simplesmente escapar que chegou a dar dois passos. Ou três. Mas de repente estavam sentados no Chalé com dois chopes um em frente ao outro, e ela dizia que as nuvens pareciam o saiote de uma bailarina de Degas e tinha um céu laranja atrás dos edifícios e uma estrela muito brilhante que ela apontou dizendo que era Vênus e riu quando ele mexeu com ela e disse que podia nascer uma verruga na ponta de seu dedo, e teriam ficado nesse clima por mais tempo se de repente ela não perguntasse se ele não se lembrava de um determinado bar e ele disse que sim e ela risse continuando, sabe que a garçonete nos conhecia tanto que outro dia me perguntou ué, tu não ia casar com aquele moço, e ela dissera que não, que eram apenas amigos. Então ele pediu outro chope e com um ar dramático disse que só se casaria com ela se ela tivesse um bom dote, duas vacas leiteiras, por exemplo, mas ela respondeu rindo que vacas leiteiras não tinha não, mas se servia uma coleção completa de "Gênios da pintura", e ele perguntou se tinha Bosch e Klimt, e ela disse claro, dois fascículos inteiros, e ele disse ah, vou considerar a sua proposta, e ela disse mas não pense que vou me jogar nessa *empreitada* (ele achou engraçado, mas foi assim mesmo que ela disse, acentuando tanto a palavra que ele percebeu que o jeito dela falar não tinha mudado nada, sempre ironizando um pouco o próprio vocabulário e carregando de intenções o que a ela mesma parecia meio ridículo), assim no mais, ela continuou, só caso contigo se tu também tiver um dote *ponderável*. Ele acendeu um cigarro e ela outro e ele viu que ela havia mudado para Continental com filtro e que antigamente era Minister, Minister, gola rolê preta, olheiras e festivais de filmes *nouvelle vague* no Rex ou no Ópera, e ela *odiava* Godard, só gostava do trecho onde Pierrot le fou sentava numa pedra e Ana Karina vinha caminhando pela praia gritando que se há de fazer, não há nada a fazer, *rien à faire* e assim por diante, até chegar em primeiro plano, e então ele lembrou e disse que tinha as obras completas de Sartre, Simone e Camus, e ela fez hmmmmmm, é uma boa oferta, e se ela lembrava que tinha sido posta para fora da aula de introdução à metafísica depois de dizer que estava mergulhada na fissura ôntica, o nome científico da fossa, e ela lembrava sim. E logo em seguida ele quis falar duma passeata em que tinha apanhado dentro da catedral, e já fazia tanto tempo, todos gritando o-povo-organizado-derruba-a-ditadura-mais-pão-menos-canhão, braços dados, mas não chegou a dizer nada porque ela estava contando que fizera 28 anos semana passada e que tinha ficado completamente louca o dia inteiro, ainda por cima um domingo, e que sentira vontade de escrever um conto que começasse assim, aos 28 anos ela enlouqueceu completamente e de súbito abriu a janela do quarto e pôs-se a dançar nua sobre o telhado gritando muito alto que precisava de espaço, e pediu também um segundo chope enquanto ele achava que era-um-bom-começo-se-ela--soubesse-desenvolver-bem-a-trama, mas ela apagou o cigarro e resmungou que trama, cara, eu não sei desenvolver bosta nenhuma, tenho preguiça de imaginar o que vem depois, uma clínica, por exemplo, e se ele achava possível que um conto fosse só aquilo, uma frase, e ele quis dizer ué, por que não, Mário de Andrade, por exemplo, mas começou a soprar um vento frio e ela falou que tinha também um casaco de peles *imensurável* comprado na

Suécia e um vidrinho de patchuli pela metade, ele disse ah, então era esse o cheiro, e ela explicou que era um pouco *audacioso* usar porque quando boto um pouquinho os magrinhos todos na rua vêm perguntar como é que é, tá na mão, magra, tá nas ideia, bicho, eu digo, e riram um pouco até ele dizer que tinha também um pôster de Marilyn Monroe tão amarelado mas tão bonito que um amigo o fizera jurar que deixaria para ele no testamento, então não podia dispor completamente, e sem saber por que lembrou duma charge e falou, mas não se usa mais dizer assim, é *antediluviano*, diz *cartum*, nego, senão tu passa por desatualizado, e ele riu e continuou, um *cartum*, então, onde tinha um palhaço ajoelhado no confessionário aos prantos enquanto o padre atrás da parede de madeira furadinha morria de rir. Foi então que ela perguntou se ele *ainda* continuava com a análise e ele fez que sim com a cabeça, quase dois anos, mas falando em palhaço lembrou a história do circo e quis saber o que ela achava, ela disse que se sentia mais como um *peludo*, e ele achou engraçadíssimo porque fazia uns dez anos que não escutava aquela palavra, chegou a ouvir bem nítido na memória um coro de vozes gritando tá-na-hora-peludo, lonas furadas, daqueles que montam e desmontam o barracão e carregam as garrafas de madeira dos malabaristas e as jaulas das feras e apanham no ar a sombrinha que a bailarina do pônei joga longe antes de equilibrar-se num pé só, e ele pediu outro chope e foi ao banheiro mijar e quando voltou ela estava com um gato no colo sentada numa mesa de dentro, porque lá fora tinha esfriado muito e começava a chover, e ele pensou que se fosse cinema agora poderia haver um *flashback* que mostrasse os dois na chuva recitando Clarice Lispector, *para te morder e para soprar a fim de que eu não te doa demais, meu amor, já que tenho que te doer*, meu Deus, tu decorou até hoje, e o teu cabelo tá caindo, ela falou quando ele se abaixou para apanhar o maço de cigarros e acendeu um, já tem como uma *tonsura*, e ele suspirou sem dizer nada até ela emendar que ficava até legal, dava um ar meio místico, mas ele cortou talvez um pouco bruscamente dizendo pode ser; mas atualmente ando mais pra Freud do que pra Buda ou pra são Francisco de Assis, pois é, nada de sair por aí dando a roupa aos pobres, mas eu tenho também um Atlas celeste e ela acrescentou que no verão sabia reconhecer Órion e Escorpião, e que Escorpião levantava quando Órion já estava deitando na linha do horizonte, e que, *segundo o mito*, Escorpião estava sempre querendo picar o calcanhar do guerreiro, e ele contou que uma vez havia feito um círculo de fogo em torno dum escorpião, mas ele não tinha se suicidado, o sacana, ficou esperando até o fogo apagar e ele achatá-lo com o pé, e que tinha se passado muito tempo, mas por que falar de escorpiões agora, os dois acenderam cigarros, e ela falou que era *inverossímil* pensar que a distância, quer dizer, o tempo que a separava dos 18 anos era exatamente o mesmo que a separava dos 38, e tenho também uma luneta, só que quebrada, ele cortou novamente, ah eu estava me esquecendo do disco da Sylvinha Telles que também tenho, ela sorriu, como é mesmo o nome? aquele assim *todos acham que eu falo demais, e que ando bebendo demais*, cantarolou, a voz grave, e outro *flashback*, uma madrugada qualquer, cuba libre e Maysa, *que eu não largo o cigarro*, tá todo riscado, então não interessa, ele afetou um ar de desprezo, logo a melhor faixa, e ela falou tu viu que horror fizeram na pracinha da ponta do Gasômetro, e mais um *flashback*, os dois sem dinheiro para assistir ao Arqui-Samba no Cine Cacique e Nara Leão dizendo *é a parte que te cabe neste latifúndio*, deitados na grama e o barulho do rio limpo, naquele tempo, corta, outro dia fui lá e tinha uma coisa *chocante*, uma porção de gente morando dentro duns canos e eu me senti tão mal olhando aquilo e de repente me pareceu que, ela olhou bem para ele, mas os dois baixaram a cabeça quase ao mesmo tempo e, começando a despedaçar a caixa de fósforos, ele disse que era incrível assistir como as ruas iam se modificando e de repente uma casa que existia aqui de repente não ocupava mais lugar no espaço, mas apenas na memória, e assim uma porção de coisas, ela completou, e que era como ir perdendo uma memória objetiva e não encontrar fora de si nenhum referencial mais e que. Aí ela olhou o relógio e falou que precisava mesmo ir andando antes que a chuva apertasse e as ruas ficassem alagadas, não sei se tomo um táxi ou uma *gôndola*, e ele chegou a abrir a boca para dizer qualquer coisa e ela perguntou o que foi, perfeitamente calma, a bolsa de couro a tiracolo e nenhuma pintura, como sempre, a fissura ôntica? e ele disse que não era nada, só ia tomar outro chope enquanto os ônibus esvaziavam um pouco mais. Então, por trás, inesperadamente, ela afundou os dedos no seu cabelo, coçando-lhe a cabeça como fazia antigamente, depois saiu depressa enquanto ele acendia outro cigarro e continuava a despedaçar a caixa de fósforos pensando coisas como: ou então o mágico que tira coelhos da cartola, ou ainda o motociclista do Globo da Morte, ou quem sabe estava nos bastidores ou na plateia ao invés de no picadeiro, como se fosse apenas um leitor e não uma personagem nem de Tânia Faillace nem de ninguém.

***Pedras de Calcutá*, 1977**

Garopaba mon amour

ao som de "Simpathy for the Devil"

Em Garopaba o céu azul é muito forte. Não troveja quando o Cristo é colocado na cruz.

Emanuel Medeiros Vieira,
"Garopaba meu amor"

Foram os primeiros a chegar. Durante a noite, o vento sacudindo a lona da barraca, podiam ouvir os gritos dos outros, as estacas de metal violando a terra. O chão amanheceu juncado de latas de cerveja copos de plástico papéis amassados pontas de cigarro seringas manchadas de sangue latas de conserva ampolas vazias vidros de óleo de bronzear bagas bolsas de couro fotonovelas tamancos ortopédicos. Pela manhã sentaram sobre a rocha mais alta, cruzaram as pernas, respiraram sete vezes, profundamente, e pediram nada para o mar batendo na areia.

— Conta.

— Não sei.

(Tapa no ouvido direito.)

— Conta.

— Não sei.

(Tapa no ouvido esquerdo.)

— Conta.

— Não sei.

(Soco no estômago.)

Os homens estavam parados no topo da colina. O mais baixo tirou do bolso alguma coisa metálica, o sol arrancou um reflexo cego. Quando começaram a descer, percebeu que era um revólver. Soube então que procuravam por ele. E não se moveu. Mais tarde não entenderia se masoquismo ou lentidão de reflexos, ou ainda uma obscura crença no inevitável das coisas, conjunções astrais, fatalidade. Por enquanto não. Estava ali no meio das barracas desarmadas e os homens vinham descendo a colina em direção a ele. Havia o mar atrás, algumas rochas. E baías e matas cheias de gatos selvagens e clareiras com raízes arrancando da terra escuras substâncias para transmutá-las através do tronco em flores vermelhas, escancaradas feito feridas sangrentas na extremidade dos galhos. Talvez não houvesse mais tarde agora, pensou ali parado enquanto os homens continuavam descendo a colina em direção a ele e o silêncio dos outros à sua volta gritava que estava perdido.

O vento sacode tanto a barraca que poderia arrancá-la do chão, soprá-la sobre a baía e nos levar pelos ares além das ruínas de Atlântida, continente perdido de Mu, ilha da Madeira, costas da África, ultrapassar o Marrocos, Tunísia, Pérsia, Turquia... *(Mar, o mundo é tão vasto, você consegue imaginar o Afeganistão? de manhã cedo acordar e pensar olhando o teto: estas tábuas deste teto deste quarto foram retiradas duma árvore plantada aqui, nunca pensei que um dia dormiria embaixo dos pedaços de uma árvore afeganistanesa. Até o Nepal, Mar, o vento nos levaria para depositar-nos na praça mais central de Katmandu.)*

— Se eu seguir em frente, seu veado, você pode descansar. Se eu dobrar à direita, seu filho da puta, você pode começar a rezar. Pra onde você acha que eu vou, seu maconheiro de merda?

— Pra onde o senhor quiser. Eu não sei. Não me importa mais.

Em volta há ruídos de pandeiros com fitas coloridas, assobios de flautas, violas e tambores. O vinho corre, os cigarros passam de mão em mão. Nos olhamos dentro dos olhos esverdeados de mar, nos achamos ciganos, suspiramos fundo e damos graças por este ano que se vai e nos encontra vivos e livres e belos e ainda (não sabemos como) fora das grades de um presídio ou de um hospício. Por quanto tempo? Não há mais ruídos de pandeiros, nem fitas coloridas esvoaçam ao vento, nem sopros de flautas se perdem em direção à costa invisível da África. Não corre mais o vinho por nossas bocas secas, nossos dedos de unhas roídas até a carne seguram o medo enquanto os homens revistam as barracas. Nos misturamos confusos, sem nos olhar nos olhos. Evitamos nos encarar — por que sentimos vergonha ou piedade ou uma compreensão sangrenta do que somos e do que tudo é? —, mas, quando os olhos de um esbarram nos olhos do outro, são de criança assustada esses olhos. Cão batido, rabo entre as pernas. Mastigamos em silêncio as chicotadas sobre nossas costas. E os corações de vidro pintado estalam ainda mais alto que as ondas quebrando contra as pedras.

— Conta.

— Não sei.

(Bofetada na face esquerda.)

— Conta.

— Não sei.

(Bofetada na face direita.)

— Conta.

— Não sei.

(Pontapé nas costas.)

Mar veio correndo pelo calçamento antigo na frente da igreja, os braços estendidos em direção a ele. Os morros, os barracos dos pescadores, a casa onde dormiu dom Pedro, o calçamento na frente da igreja. Recusava-se a pisar nos paralelepípedos, os pés nus acomodavam-se melhor ao redondo quente das pedras antigas, absorvendo vibrações perdidas, rodas de carruagem, barra rendada das saias de sinhás-moças, solas cascudas dos pés dos escravos. Mar veio correndo sobre as carruagens, as sinhás-moças, os pés cascudos e pretos. Nos chocaremos agora, no próximo segundo, nossos rostos afundados nos ombros um do outro não dirão nada, e não será preciso: neste próximo abraço deste próximo segundo para onde corro também, os braços abertos, nestas pedras de um tempo morto e mais limpo. Aqui, agora. Quando os olhos de um localizaram os olhos (metal azul) do outro, a mão do homem fechou-se sobre seu ombro — e tudo estava perdido outra vez.

Pouca-vergonha, o dente de ouro e o cabo do revólver cintilando à luz do sol, tenho pena de você. Pouca-vergonha é fome, é doença, é miséria, é a sujeira deste lugar, pouca-vergonha é falta de liberdade e a estupidez de vocês. Pena tenho eu de você, que precisa se sujeitar a esse emprego imundo: eu sou um ser humano decente e você é um verme. Revoltadinha a bicha. Veja como se defende bem. Isso, esconde o saco com cuidado. Se você se descuidar, boneca, faço uma omelete das suas bolas. Se me entregar direitinho o serviço, você está livre agora mesmo. Entregar o quê? Entregar quem? Os nomes, quero os nomes. Confessa. O anel pesado marca a testa, como um sinete. Cabelos compridos emaranhados entre as mãos dos homens. A cadeira quase quebra com a bofetada. Quem sabe uns choquezinhos pra avivar a memória?

Just as every cop is a criminal
And all the sinners saints
As heads are tails just call me Lucifer
Cause I'm in need of some restraint
So if you meet me have some courtesy
Have some simpathy and some taste
Use all your well-learned politesse
Or I'll lay your soul to waste

Mar, ainda não te falei de ontem. Talvez não haja mais tempo. Não sei se sairei vivo. Ontem lavamos na fonte os cabelos um do outro. Depositamos a vela acesa sobre o muro. Pedir o quê, agora, Mar? Se para sempre teremos medo. Da dor física, tapa na cara, fio no nervo exposto do dente. Meu corpo vai ficar marcado pelo roxo das pancadas, não pelo roxo dos teus dentes em minha carne.

— Repete comigo: eu sou um veado imundo.

— Não.

(Tapa no ouvido direito.)

— Repete comigo: eu sou um maconheiro sujo.

— Não.

(Tapa no ouvido esquerdo.)

— Repete comigo: eu sou um filho da puta.

— Não.

(Soco no estômago.)

Luís delira com malária no quarto. Minerva decepa com gestos precisos a cabeça e a cauda dos peixes. Os gatos rondam. Jair está no mar pescando. Ou na putaria, ela diz. O sono dentro dos barcos, a boia dura machucando a anca *(não te tocar, não pedir um abraço, não pedir ajuda, não dizer que estou ferido, que quase morri, não dizer nada, fechar os olhos, ouvir o barulho do mar, fingindo dormir, que tudo está bem, os hematomas no plexo solar, o coração rasgado, tudo bem).* Os montes verdes do Siriú do outro lado da baía. Estar outra vez tão perto das pessoas que não ser si-mesmo e sim o ser dos outros, sal do mar roendo as pedras, espinhos cravados na carne macia do tornozelo. Curvo-me para o punhado de algas verdes na palma de tua mão. E respiro.

Paredes caiadas de um branco sujo. O chão de cimento com restos de vômito, merda e mijo. O homem caminha para o fio com a bandeira do Brasil dependurada. Não quero entender. Isso deveria ser apenas uma metáfora, não essa bandeira real, verde-amarela que o homem joga para um canto ao mesmo tempo que seus dedos desencapam com cuidado o fio. Depois caminha suavemente para mim, olhos postos nos meus, um sorriso doce no canto da boca de dentes podres. Da parede, um general me olha imperturbável.

Sleeping-bags, tênis e jeans estendidos sobre a grama. Os livros: Huxley, Graciliano, Castañeda, Artaud, Rubem Fonseca, Galeano, Lucienne Samôr. O morro de bananeiras e samambaias gigantescas. À noite os gatos selvagens saem do mato e vêm procurar restos de peixe na praia. Tua mão roçou de leve meu ombro quando os microfones anunciaram Marly, a mulher dos cabelos de aço e sua demonstração de força capilar. A Roda da Fortuna gira muito depressa: quando estamos em cima os demônios se soltam e afiam suas garras para nos esperar embaixo. A plateia aplaude e espera mais uma acrobacia. (Gilda arremessa no ar a outra barra presa pelo arame.) Os dentes arreganhados do horror depois de cada alegria. Colhemos cogumelos pelos montes e sabemos que o mundo não vale a nossa lucidez. Depois da grande guerra nuclear, um vento soprando as cinzas radioativas sobre os escombros de Sodoma e Gomorra e a voz de Mick Jagger esvoaçando pelos desertos.

Pleased to meet you
Hope you guess my name
Is the nature of my game
But what's puzzlin' you
Is the nature of my game

Clama por Deus, pelo demônio. As luzes do mar são barcos pescando, não discos voadores. Com Deus me deito com Deus me levanto com a graça de Deus e do Espírito Santo se a morte me perseguir os anjos hão de me proteger, amém. Invoca seus mortos. Os que o câncer levou, os que os ferros retorcidos dos automóveis dilaceraram, os que as lâminas cortaram, os que o excesso de barbitúricos adormeceu para sempre, os que cerraram com força nós em torno de suas gargantas em banheiros fechados dos boqueirões & praças de Munique. E vai entendendo por que os ladrões roubam e por que os assassinos matam e por que alguns empunham armas e mais além vai entendendo também as bombas e também o caos a guerra a loucura e a morte.

Cruza a pequena ponte de madeira até a praia. A igreja. A casa onde dormira dom Pedro. A colina. Não há mais ninguém no topo da colina. O vento espalha o lixo deixado pelas barracas. Tenta respirar. As costelas doem. Meu pai, precisava te dizer tanto. E não direi nada. Melhor que morras acreditando na justiça e na lei suja dos homens. Mar adentro: dias mais tarde encontrariam suas órbitas de olhos comidos pelos peixes transbordando algas e corais. *(Sentimos coisas incontroláveis, Mar: amor narcótico, amor veneno matando para sempre células nervosas, amor vizinho da loucura, maldito amor de mis entrañas: viva la muerte.)* Os olhos secos. Não encontraria Mar. Não choraria. Vai entendendo cada vez mais. Chega bem perto agora. É um ser de espuma nos cantos da boca. Olhos em brasa. Quase toca os cascos rachados. Eu estou satisfeito por encontrar você, sussurra. Enterra os dedos na areia. As unhas cheias de ódio.

***Pedras de Calcutá*, 1977**

Uma história de borboletas

Porque quando se é branco como a fênix branca
e os outros são pretos, os inimigos não faltam.

Antonin Artaud, citado por Anaïs Nin, em
"Je suis le plus malade des surréalistes"

André enlouqueceu ontem à tarde. Devo dizer que também acho um pouco arrogante de minha parte dizer isso assim — *enlouqueceu* —, como se estivesse perfeitamente seguro não só da minha própria sanidade mas também da minha capacidade de julgar a sanidade alheia. Como dizer, então? Talvez: *André começou a comportar-se de maneira estranha*, por exemplo? ou: *André estava um tanto desorganizado*; ou ainda: *André parecia muito necessitado de repouso.* Seja como for, depois de algum tempo, e aos poucos, tão lentamente que apenas ontem à tarde resolvi tomar essa providência, André — desculpem a minha audácia ou arrogância ou empáfia ou como queiram chamá-la, enfim: André enlouqueceu completamente.

Pensei em levá-lo para uma clínica, lembrava vagamente de ter visto no cinema ou na televisão um lugar cheio de verde e pessoas muito calmas, distantes e um pouco pálidas, com o olhar fora do mundo, lendo ou recortando figurinhas, cercadas por enfermeiras simpáticas, prestativas. Achei que André seria feliz lá. E devo dizer ainda que gostaria de vê-lo feliz, apesar de tudo o que me fez sofrer nos últimos tempos. Mas bastou uma olhada no talão de cheques para concluir que não seria possível.

Então optei pelo hospício. Sei, parece um pouco duro dizer isso assim, desta maneira tão seca: então-optei-pelo-hospício. As palavras são muito traiçoeiras. Para dizer a verdade, não optei propriamente. Apenas: 1º) eu tinha pouquíssimo dinheiro e André menos ainda, isto é, nada, pois deixara de trabalhar desde que as borboletas começaram a nascer entre seus cabelos; 2º) uma clínica custa dinheiro e um hospício é de graça. Além disso, esses lugares como aquele que vi no cinema ou na televisão ficam muito retirados — na Suíça, acho —, e eu não poderia visitá-lo com tanta frequência como gostaria. O hospício fica aqui perto. Então, depois desses esclarecimentos, repito: optei pelo hospício.

André não opôs resistência nenhuma. Às vezes chego a pensar que ele sempre soube que, de uma forma ou outra, fatalmente acabaria assim. Portanto, coloquei-o num táxi, depois desembarcamos, atravessamos o pátio e, na portaria, o médico de plantão nem sequer fez muitas perguntas. Apenas nome, endereço, idade, se já tinha estado lá antes, essas coisas — ele não dizia nada e eu precisei ir respondendo, como se o louco fosse eu e não ele. Ah: nem por um minuto o médico duvidou da minha palavra. Pensei até que, se André não estivesse realmente louco e eu dissesse que sim, bastaria isso para que ficasse por lá durante muito tempo. Mas a cara dele não enganava ninguém — sem se mover, sem dizer nada, aqueles olhos parados, o cabelo todo em desordem.

Quando dois enfermeiros iam levá-lo para dentro eu quis dizer mais alguma coisa, mas não consegui. Ele ficou ali na minha frente, me olhando. Não me olhando propriamente, havia muito tempo não olhava mais para nada

— seus olhos pareciam voltados para dentro, ou então era como se transpassassem as pessoas ou os objetos para ver, lá no fundo deles, uma coisa que nem eles próprios sabiam de si mesmos. Eu me sentia mal com esse olhar, porque era um olhar muito... muito *sábio*, para ser franco. Completamente insano, mas extremamente sábio. E não é nada agradável ter em cima de você, o tempo todo, na sua própria casa, um olhar desses, assim trans-in-lúcido. Mas de repente seus olhos pareceram piscar, mas não devem ter piscado — devo esclarecer que, para mim, piscar é uma espécie de vírgula que os olhos fazem quando querem mudar de assunto. Sem piscar, então, os olhos dele piscaram por um momento e voltaram daquele mundo para onde André se havia mudado sem deixar endereço. E me olharam os olhos dele. Não para uma coisa minha que nem eu mesmo via, nem através de mim, mas para mim mesmo *fisicamente*, quero dizer: para este par de órgãos gelatinosos situados entre a testa e o nariz — meus olhos, para ser mais objetivo.

André olhou bem nos meus olhos, como havia muito não fazia, e fiquei surpreso e tive vontade de dizer ao médico de plantão que era tudo um engano, que André estava muito bem, pois se até me olhava nos olhos como se me visse, pois se recuperara aquela expressão atenta e quase amiga do André que eu conhecia e que morava comigo, como se me compreendesse e tivesse qualquer coisa assim como uma vontade de que tudo desse certo para mim, sem nenhuma mágoa de que eu o tivesse levado para lá. Como se me perdoasse, porque a culpa não era minha, que estava lúcido, nem tampouco dele, que enlouquecera. Quis levá-lo de volta comigo para casa, despi-

-lo e lambê-lo como fazia antigamente, mas havia aquele monte de papéis assinados e cheios de *x* nos quadradinhos onde estava escrito *solteiro*, *masculino*, *branco*, coisas assim, os enfermeiros esperando ali do lado, já meio impacientes — tudo isso me passou pela cabeça enquanto o olhar de André pousava sobre mim e sua voz dizia:

— Só se pode encher um vaso até a borda. Nem uma gota a mais.[1]

Então vim embora. Os enfermeiros seguraram seus braços e o levaram para dentro. Havia alguns outros loucos espiando pela janela. Eram feios, sujos, alguns desdentados, as roupas listradinhas encardidas, fedendo — e eu tive medo de um dia voltar para encontrar André assim como eles: feio, sujo, desdentado, a roupa listradinha encardida e fedendo. Pensei que o médico ia colocar a mão no meu ombro para depois dizer *coragem, meu velho*, como tenho visto no cinema. Mas ele não fez nada disso. Baixou a cabeça sobre o monte de papéis como se eu já não estivesse ali, dei meia-volta sem dizer nada do que eu queria dizer — que cuidassem bem dele, que não o deixassem subir no telhado, recortar figurinhas de papel o dia inteiro ou retirar borboletas do meio dos cabelos como costumava fazer. Atravessei devagar o pátio cheio de loucos tristes, hesitei no portão de ferro, depois resolvi voltar a pé para casa.

Era de tardezinha, estava horrível na rua, com todos aqueles automóveis, aquelas pessoas desvairadas, as calçadas cheias de merda e lixo, eu me sentia mal e muito culpado. Quis conversar com alguém, mas me afastara tanto de todos depois que André enlouquecera, e aquele olhar

---

[1] Tao Te King: Lao-Tsé.

dele estava me rasgando por dentro, eu tinha a impressão de que o meu próprio olhar tinha se tornado como o dele, e de repente já não era apenas uma impressão. Quando percebi, estava olhando para as pessoas como se soubesse alguma coisa delas que nem elas mesmas sabiam. Ou então como se as transpassasse. Eram bichos brancos e sujos. Quando as transpassava, via o que tinha sido antes delas — e o que tinha sido antes delas era uma coisa sem cor nem forma, eu podia deixar meus olhos descansarem lá porque eles não precisavam preocupar-se em dar nome ou cor ou jeito a nenhuma coisa — era um branco liso e calmo. Mas esse branco liso e calmo me assustava e, quando tentava voltar atrás, começava a ver nas pessoas o que elas não sabiam de si mesmas, e isso era ainda mais terrível. O que elas não sabiam de si era tão assustador que me sentia como se tivesse violado uma sepultura fechada havia vários séculos. A maldição cairia sobre mim: ninguém me perdoaria jamais se soubesse que eu ousara.

Mas alguma coisa em mim era mais forte que eu, e não conseguia evitar ver e sentir atrás e além dos sujos bichos brancos, então soube que todos eles na rua e na cidade e no país e no mundo inteiro sabiam que eu estava vendo exatamente daquela maneira, e de repente também já não era mais possível fingir nem fugir nem pedir perdão ou tentar voltar ao olhar anterior — e tive certeza de que eles queriam vingança, e no momento em que tive certeza disso, comecei a caminhar mais depressa para escapar, e Deus, Deus estava do meu lado: na esquina havia um ponto de táxi, subi num, mandei tocar em frente, me joguei contra o banco, fechei os olhos, respirei fundo, enxuguei na camisa as palmas visguentas das mãos. Depois abri os olhos para observar o motorista (prudentemente, é claro). Ele me vigiava pelo espelho retrovisor. Quando percebeu que eu percebia, desviou os olhos e ligou o rádio. No rádio, uma voz disse assim: *Senhoras e senhores, são seis horas da tarde. Apertem os cintos de segurança e preparem suas mentes para a decolagem. Partiremos em breve para uma longa viagem sem volta. Atenção, vamos começar a contagem regressiva: dez-nove-oito-sete-seis-cinco...* Antes que dissesse *quatro,* soube que o motorista era um deles. Mandei-o parar, paguei e desci. Não sei como, mas estava justamente em frente à minha casa. Entrei, acendi a luz da sala, sentei no sofá.

A casa quieta sem André. Mesmo com ele ali dentro, nos últimos tempos a casa era sempre quieta: permanecia em seu quarto, recortando figurinhas de papel ou encostado na parede, os olhos olhando daquele jeito, ou então em frente ao espelho, procurando as borboletas que nasciam entre seus cabelos. Primeiro remexia neles, afastava as mechas, depois localizava a borboleta, exatamente como um piolho. Num gesto delicado, apanhava-a pelas asas, entre o polegar e o indicador, e jogava-a pela janela. *Essa era das azuis* — costumava dizer; ou *essa era das amarelas* ou qualquer outra cor. Em seguida saía para o telhado e ficava repetindo uma porção de coisas que eu não entendia. De vez em quando aparecia uma borboleta negra. Então tinha violentas crises, assustava-se, chorava, quebrava coisas, acusava-me. Foi na última borboleta negra que resolvi levá-lo para o tal lugar verde e, mais tarde, para o hospício mesmo. Ele quebrou todos os móveis do quarto, depois tentou morder-me, dizendo que a culpa era minha, que era eu quem colocava as borboletas negras entre seus cabelos, enquanto dormia. Não era verdade. Enquanto dormia, eu às vezes me aproximava para observá-lo. Gostava de vê-lo assim, esquecido, os pelos claros do peito subindo e descendo sobre o coração. Era quase como o André que eu conhecera antes, aquele que mordia meu pescoço com fúria nas noites suadas de antigamente. Uma vez cheguei a passar os dedos nos seus cabelos. Ele despertou bruscamente e me olhou horrorizado, segurou meu pulso com força e disse que agora eu não poderia mais fingir que não era eu, que tinha me surpreendido no momento exato da traição. Era assim, havia muito tempo, eu estava fatigado e não compreendia mais.

Mas agora a casa estava sem André. Fui até o banheiro atulhado de roupas sujas, a torneira pingando, a cozinha com a pia transbordando pratos e panelas de muitas semanas, a janela de cortinas empoeiradas e o cheiro adocicado do lixo pelos cantos, depois resolvi tomar coragem e ir até o quarto dele. André não estava lá, claro. Apenas as revistas espalhadas pelo chão, a tesoura, as figurinhas entre os cacos dos móveis quebrados. Apanhei a tesoura e comecei a recortar algumas figurinhas. Inventava histórias enquanto recortava, dava-lhes profissões, passados, presentes, futuros era mais difícil, mas dava-lhes também dores e alguns sonhos. Foi então que senti qualquer coisa como uma comichão entre os cabelos, como se algo brotasse de dentro do meu cérebro e furasse as paredes do crânio para misturar-se com os cabelos. Aproximei-me do espelho, procurei. Era uma borboleta. Das azuis, verifiquei com alegria. Segurei-a entre o polegar e o indicador e soltei-a pela janela. Esvoaçou por alguns segundos, numa hesitação perfeitamente natural, já que nunca antes em sua vida estivera sobre um telhado. Quando percebi isso, subi na janela e alcancei as telhas para aconselhá-la:

— É assim mesmo — eu disse. — O mundo fora de minha cabeça tem janelas, telhados, nuvens, e aqueles bichos brancos lá embaixo. Sobre eles, não te detenhas demasiado, pois correrás o risco de transpassá-los com o olhar ou ver neles o que eles próprios não veem, e isso seria tão perigoso para ti quanto para mim violar sepulcros seculares, mas, sendo uma borboleta, não será muito difícil evitá-lo: bastará esvoaçar sobre as cabeças, nunca pousar nelas, pois pousando correrás o risco de ser novamente envolvida pelos cabelos e reabsorvida pelos cérebros pantanosos e, se isso for inevitável, por descuido ou aventura, não deverás te torturar demasiado, de nada adiantaria, procura acalmar-te e deslizar para dentro dos tais cérebros o mais suavemente possível, para não seres triturada pelas arestas dos pensamentos, e tudo é natural, basta não teres medos excessivos — trata-se apenas de preservar o azul das tuas asas.

Pareceu tranquilizada com meus conselhos, tomou impulso e partiu em direção ao crepúsculo. Quando me preparava para dar volta e entrar novamente no quarto, percebi que os vizinhos me observavam. Não dei importância a isso, voltei às figurinhas. E novamente começou a acontecer a mesma coisa: algo como um borbulhar, o espelho, a borboleta (essa era das roxas), depois a janela, o telhado, os conselhos. E os vizinhos e as figurinhas outra vez. Assim durante muito tempo.

Já não era mais de tardezinha quando apareceu a primeira borboleta negra. No mesmo momento em que meu indicador e polegar tocaram suas asinhas viscosas, meu estômago contraiu-se violentamente, gritei e quebrei o objeto mais próximo. Não sei exatamente o quê, sei apenas do ruído de cacos que fez, o que me deixa supor que se tratasse de um vaso de louça ou algo assim (creio que foi nesse momento que lembrei daquele som das noites de antes: as franjas do xale na parede caindo sobre as cordas do violão de André quando rolávamos da cama para o chão). Pretendia quebrar mais coisas, gritar ainda mais alto, chorar também, se conseguisse, porque tinha nojo e nunca mais — quando ouvi um rumor de passos no corredor e diversas pessoas invadiram o quarto. Acho que meu primeiro olhar para elas foi aquele que tive antigamente, cheguei a reconhecer alguns dos vizinhos que nos observavam sempre, o homem do bar da esquina, o jardineiro da casa em frente, o motorista do táxi, o síndico do edifício ao lado, a puta do chalé branco. Mas em seguida tudo se alargou e não consegui evitar vê-las daqueles outros jeitos, embora não quisesse, e meu jeito de evitar isso era fechar os olhos, mas quando fechava os olhos ficava olhando para dentro de meu próprio cérebro — e só encontrava nele uma infinidade de borboletas negras agitando nervosamente as asinhas pegajosas, atropelando-se para brotar logo entre os cabelos. Lutei por algum tempo. Tinha alguma esperança, embora fossem muitas mãos a segurar-me.

Ao amanhecer do dia de hoje fui dominado. Chamaram um táxi e trouxeram-me para cá. Antes de entrar no táxi tentei sugerir, quem sabe aquele lugar de muito verde, pessoas amáveis e prestativas, todas distantes, um tanto pálidas, alguns lendo livros, outros cortando figurinhas. Mas eu sabia que eles não admitiriam: quem havia visto o que eu vira não merecia perdão. Além disso, eu tinha desaprendido completamente a sua linguagem, a linguagem que também tive antes, e, embora com algum esforço conseguisse talvez recuperá-la, não valia a pena, era tão mentirosa, tão cheia de equívocos, cada palavra querendo dizer várias coisas em várias outras dimensões. Eu agora já não conseguia permanecer apenas numa dimensão como eles, cada palavra se alargava e invadia tantos e tantos reinos que, para não me perder, preferia ficar calado, atento apenas ao borbulhar de borboletas dentro do meu cérebro. Quando foram embora, depois de preencherem uma porção de papéis, olhei para um deles daquele mesmo jeito que André me olhara. E disse-lhe:

— Só se pode encher um vaso até a borda. Nem uma gota a mais.

Ele pareceu entender. Vi como se perturbava e tentava dizer, sem conseguir, alguma coisa para o médico de plantão, observei que baixava os olhos sobre o monte de papéis e a maneira indecisa como atravessava o pátio para depois deter-se em frente ao portão de ferro, olhando para os lados, e então se foi, a pé. Em seguida os homens trouxeram-me para dentro e enfiaram uma agulha no meu braço. Tentei reagir, mas eram muito fortes. Um deles ficou de joelhos no meu peito enquanto o outro enfiava a agulha na veia. Afundei num fundo poço acolchoado de branco.

Quando acordei, André me olhava dum jeito totalmente novo. Quase como o jeito antigo, mas muito mais intenso e calmo. Como se agora partilhássemos o mesmo reino. André sorriu. Depois estendeu a mão direita em direção aos meus cabelos, uniu o polegar ao indicador e, gentilmente, apanhou uma borboleta. Era das verdes. Depois baixou a cabeça, eu estendi os dedos para seus cabelos e apanhei outra borboleta. Era das amarelas. Como não havia telhados próximos, esvoaçavam pelo pátio enquanto falávamos juntos aquelas mesmas coisas — eu para as borboletas dele, ele para as minhas. Ficamos assim por muito tempo até que, sem querer, apanhei uma das negras e começamos a brigar. Mordi-o muitas vezes, tirando sangue da carne, enquanto ele cravava as unhas no meu rosto. Então vieram os homens, quatro desta vez. Dois deles puseram os joelhos sobre os nossos peitos, enquanto os outros dois enfiavam agulhas em nossas veias. Antes de cairmos outra vez no poço acolchoado de branco, ainda conseguimos sorrir um para o outro, estender os dedos para nossos cabelos e, com os indicadores e polegares unidos, ao mesmo tempo, com muito cuidado, apanhar cada um uma borboleta. Essa era tão vermelha que parecia sangrar.

***Pedras de Calcutá*, 1977**

Os sobreviventes

(Para ler ao som de Angela Ro Ro)

Para Jane Araújo, a Magra

Sri Lanka, quem sabe? ela me pergunta, morena e ferina, e eu respondo por que não? mas inabalável ela continua: você pode pelo menos mandar cartões-postais de lá, para que as pessoas pensem nossa, como é que ele foi parar em Sri Lanka, que cara louco esse, hein, e morram de saudade, não é isso que te importa? Uma certa saudade, e você em Sri Lanka, bancando o Rimbaud, que nem foi tão longe, para que todos lamentem ai, como ele era bonzinho e nós não lhe demos a dose suficiente de atenção para que ficasse aqui entre nós, palmeiras & abacaxis. Sem parar, abana-se com a capa do disco de Angela enquanto fuma sem parar e bebe sem parar sua vodca nacional sem gelo nem limão. Quanto a mim, a voz tão rouca, fico por aqui mesmo comparecendo a atos públicos, pichando muros contra usinas nucleares, em plena ressaca, um dia de monja, um dia de puta, um dia de Joplin, um dia de Teresa de Calcutá, um dia de merda enquanto seguro aquele maldito emprego de oito horas diárias para poder pagar essa poltrona de couro autêntico onde neste exato momento vossa reverendíssima assenta sua preciosa bunda e essa exótica mesinha de centro em junco indiano que apoia nossos fatigados pés descalços ao fim de mais outra semana de batalhas inúteis, fantasias escapistas, maus orgasmos e crediários atrasados. Mas tentamos tudo, eu digo, e ela diz que sim, claaaaaaaro, tentamos tudo, inclusive trepar, porque tantos livros emprestados, tantos filmes vistos juntos, tantos pontos de vista sociopolíticos existenciais e bababá em comum só podiam era dar mesmo nisso: cama. Realmente tentamos, mas foi uma bosta. Que foi que aconteceu, que foi meu deus que aconteceu, eu pensava depois acendendo um cigarro no outro e não queria lembrar, mas não me saía da cabeça o teu pau murcho e os bicos dos meus seios que nem sequer ficaram duros, pela primeira vez na vida, você disse, e eu acreditei, pela primeira vez na vida, eu disse, e não sei se você acreditou. Eu quero dizer que sim, que acreditei, mas ela não para, tanto tesão mental espiritual moral existencial e nenhum físico, eu não queria aceitar que fosse isso: éramos diferentes, éramos melhores, éramos superiores, éramos escolhidos, éramos mais, éramos vagamente sagrados, mas no final das contas os bicos dos meus peitos não endureceram e o teu pau não levantou. Cultura demais mata o corpo da gente, cara, filmes demais, livros demais, palavras demais, só consegui te possuir me masturbando, tinha a biblioteca de Alexandria separando nossos corpos, eu enfiava fundo o dedo na boceta noite após noite e pedia mete fundo, coração, explode junto comigo, me fode, depois virava de bruços e chorava no travesseiro, naquele tempo ainda tinha culpa nojo vergonha, mas agora tudo bem, o *Relatório Hite* liberou a punheta. Não que fosse amor de menos, você dizia depois, ao contrário, era amor demais, você acreditava mesmo nisso? naquele bar infecto onde costumávamos afogar nossas impotências em baldes de lirismo juvenil, imbecil, e eu disse não, meu bem, o que acontece é que como bons-intelectuais-pequeno-burgueses o teu negócio é homem e o meu é mulher, podíamos até formar um casal incrível, tipo aquela amante de Virginia Woolf, como era mesmo o nome da fanchona? Vita, isso, Vita Sackville-West e o veado do marido dela, ora não se erice, queridinho, não tenho nada contra veados não, me passa a vodca, o quê? e eu lá tenho grana para comprar wyborowas? não, não tenho nada contra lésbicas, não tenho nada contra decadentes em geral, não tenho nada contra qualquer coisa que soe a: uma tentativa. Eu peço um cigarro e ela me atira o maço na cara como quem joga um tijolo, ando angustiada demais, meu amigo, palavrinha antiga essa, a velha *angst,* saco, mas ando, ando, mais de duas décadas de convívio cotidiano, tenho uma coisa apertada aqui no meu peito, um sufoco, uma sede, um peso, ah não me venha com essas histórias de atraiçoamos-todos-os-nossos-ideais, eu nunca tive porra de ideal nenhum, eu só queria era salvar a minha, veja só que coisa mais individualista elitista capitalista, eu só queria era ser feliz, cara, gorda, burra, alienada e completamente feliz. Podia ter dado certo entre a gente, ou não, eu nem sei o que é dar certo, mas naquele tempo você ainda não tinha se decidido a dar o rabo nem eu a lamber boceta, ai que gracinha nossos livrinhos de Marx, depois Marcuse, depois Reich, depois Castañeda, depois Laing embaixo do braço, aqueles sonhos tolos colonizados nas cabecinhas idiotas, bolsas na Sorbonne, chás com Simone e Jean-Paul nos 50 em Paris, 60 em Londres ouvindo *here comes the sun, here comes the sun little darling,* 70 em Nova York dançando *disco music* no Studio 54, 80 a gente aqui mastigando esta coisa porca sem conseguir engolir nem cuspir fora nem esquecer esse azedo na boca. Já li tudo, cara, já tentei macrobiótica psicanálise drogas acupuntura suicídio ioga dança natação cooper astrologia patins marxismo candomblé boate gay ecologia, sobrou só esse nó no peito, agora faço o quê? não é plágio do Pessoa não, mas em cada canto do meu quarto tenho uma imagem de Buda, uma de mãe Oxum, outra de Jesusinho, um pôster de Freud, às vezes acendo vela, faço reza, queimo incenso, tomo banho de arruda, jogo sal grosso nos cantos, não te peço solução nenhuma, você vai curtir os seus nativos em Sri Lanka depois me manda um cartão-postal contando qualquer coisa como ontem à noite, na beira do rio, deve haver uma porra de rio por lá, um rio lodoso, cheio de juncos sombrios, mas ontem na beira do rio, sem planejar nada, de repente, sabe, por acaso, encontrei um rapaz de tez azeitonada e olhos oblíquos que. Hein? claro que deve haver alguma espécie de dignidade nisso tudo, a questão é onde, não nesta cidade escura, não neste planeta podre e pobre, dentro de mim? ora não me venhas com autoconhecimentos-redentores, já sei tudo de mim, tomei mais de cinquenta ácidos, fiz seis anos de análise, já pirei de clínica, lembra? você me levava maçãs argentinas e fotonovelas italianas, Rossana Galli, Franco Andrei, Michela Roc, Sandro Moretti, eu te olhava entupida de mandrix e babava soluçando perdi minha alegria, anoiteci, roubaram minha esperança, enquanto você, solidário & positivo, apertava meu ombro com sua mão apesar de tudo viril repetindo reage, *companheira,* reage, a causa precisa dessa tua cabecinha privilegiada, teu potencial criativo, tua lucidez libertária e bababá bababá. As pessoas se transformavam em cadáveres decompostos à minha frente, minha pele era triste e suja, as noites não terminavam nunca, ninguém me tocava, mas eu reagi, despirei, voltei a isso que dizem que é o normal, e cadê a causa, meu, cadê a luta, cadê o po-ten-ci-al criativo? Mato, não mato, atordoo minha sede com sapatinhas do Ferro's Bar ou encho a cara sozinha aos sábados esperando o telefone tocar, e nunca toca, neste apartamento que pago com o suor do po-ten-ci-al criativo da bunda que dou oito horas diárias para aquela multinacional fodida. Mas, eu quero dizer, e ela me corta mansa, claro que você não tem culpa, coração, caímos exatamente na mesma ratoeira, a única diferença é que você pensa que pode escapar, e eu quero chafurdar na dor deste ferro enfiado fundo na minha garganta seca que só umedece com vodca, me passa o cigarro, não, não estou desesperada, não mais do que sempre estive, *nothing special, baby,* não estou louca nem bêbada, estou é lúcida pra caralho e sei claramente que não tenho nenhuma saída, ah não se preocupe, meu bem, depois que você sair tomo banho frio, leite quente com mel de eucalipto, ginseng e lexotan, depois deito, depois durmo, depois acordo e passo uma semana a banchá e arroz integral, absolutamente santa, absolutamente pura, absolutamente limpa, depois tomo outro porre, cheiro cinco gramas, bato o carro numa esquina ou ligo para o CVV às quatro da madrugada e alugo a cabeça dum panaca qualquer choramingando coisas tipo pre-ciso-tanto-de-uma-razão-para-viver-e-sei-que-essa-razão-só-está-den-tro-de-mim-bababá-bababá e me lamurio até o sol pintar atrás daqueles edifícios sinistros, mas não se preocupe, não vou tomar nenhuma medida drástica, a não ser continuar, tem coisa mais autodestrutiva do que insistir sem fé nenhuma? Ah, passa devagar a tua mão na minha cabeça, toca meu coração com teus dedos frios, eu tive tanto amor um dia, ela para e pede, preciso tanto tanto tanto, cara, eles não me permitiram ser a coisa boa que eu era, eu então estendo o braço e ela fica subitamente pequenina apertada contra meu peito, perguntando se está mesmo muito feia e meio puta e velha demais e completamente bêbada, eu não tinha estas marcas em volta dos olhos, eu não tinha estes vincos em torno da boca, eu não tinha este jeito de sapatão cansado, e eu repito que não, que nada, que ela está linda assim, desgrenhada e viva, ela pede que eu coloque uma música e escolho ao acaso o "Noturno número dois em mi bemol" de Chopin, eu quero deixá-la assim, dormindo no escuro sobre este sofá amarelo, ao lado das papoulas quase murchas, embalada pelo piano remoto como uma canção de ninar, mas ela se contrai violenta e pede que eu ponha Angela outra vez, e eu viro o disco, amor meu grande amor, caminhamos tontos até o banheiro onde sustento sua cabeça para que vomite, e sem querer vomito junto, ao mesmo tempo, os dois abraçados, fragmentos azedos sobre as línguas misturadas, mas ela puxa a descarga e vai me empurrando para a sala, para a porta, pedindo que me vá, e me expulsa para o corredor repetindo não se esqueça então de me mandar aquele cartão de Sri Lanka, aquele rio lodoso, aquela tez azeitonada, que aconteça alguma coisa bem bonita com você, ela diz, te desejo uma fé enorme, em qualquer coisa, não importa o quê, como aquela fé que a gente teve um dia, me deseja também uma coisa bem bonita, uma coisa qualquer maravilhosa, que me faça acreditar em tudo de novo, que nos faça acreditar em tudo outra vez, que leve para longe da minha boca este gosto podre de fracasso, este travo de derrota sem nobreza, não tem jeito, companheiro, nos perdemos no meio da estrada e nunca tivemos mapa algum, ninguém dá mais carona e a noite já vem chegando. A chave gira na porta. Preciso me apoiar contra a parede para não cair. Por trás da madeira, misturada ao piano e à voz rouca de Angela, nem que eu rastejasse até o Leblon, consigo ouvi-la repetindo e repetindo que tudo vai bem, tudo continua bem, tudo muito bem, tudo bem. Axé, axé, axé! eu digo e insisto até que o elevador chegue axé, axé, axé, odara!

***Morangos Mofados*, 1982**

Pela passagem de uma grande dor

(Ao som de Erik Satie)

Para Paula Dip

A primeira vez que o telefone tocou ele não se moveu. Continuou sentado sobre a velha almofada amarela, cheia de pastoras desbotadas com coroas de flores nas mãos. As vibrações coloridas da televisão sem som faziam a sala tremer e flutuar, empalidecida pelo bordô mortiço da cor de luxe de um filme antigo qualquer. Quando o telefone tocou pela segunda vez ele estava tentando lembrar se o nome daquela melodia meio arranhada e lentíssima que vinha da outra sala seria mesmo "Desespero agradável" ou "Por um desespero agradável". De qualquer forma, pensou, desespero. E agradável.

A luz de mercúrio da rua varava os orifícios das cortinas de renda misturando-se, azulada, à cor meio decomposta do filme. Pouco antes do telefone tocar pela terceira vez ele resolveu levantar-se — conferir o nome da música, disse para si mesmo, e caminhou para dentro atravessando o pequeno corredor onde, como sempre, a perna da calça roçou contra a folha rajada de uma planta. Preciso trocá-la de lugar, lembrou, como sempre. E um pouco antes ainda de estender a mão para pegar o telefone na estante, inclinou-se sobre as capas de discos espalhadas pelo chão, entre um cinzeiro cheio e um caneco de cerâmica crua quase vazio, a não ser por uns restos no fundo, que vistos assim de cima formavam uma massa verde, úmida e compacta. *"Désespoir agréable"*, confirmou. Ainda em pé, colocou a capa branca do disco sobre a mesa enquanto repetia mentalmente: de qualquer forma, desespero. E agradável.

— Lui? — A voz conhecida. — Alô? É você, Lui?

— Eu — ele disse.

— O que é que você está fazendo?

Ele sentou-se. Depois estendeu o braço em frente ao rosto e olhou a palma aberta da própria mão. As pequenas áreas descascadas, ácido úrico, diziam, corroendo lento a pele.

— Alô? Você está me ouvindo?

— Oi — ele disse.

— Perguntei o que é que você estava fazendo.

— Fazendo? Nada. Por aí, ouvindo música, vendo tevê. — Fechou a mão. — Agora ia fazer um café. E dormir.

— Hein? Fala mais alto.

— Mas não sei se tem pó.

— O quê?

— Nada, bobagem. E você?

Do outro lado da linha, ela suspirou sem dizer nada. Então houve um silêncio curto e em seguida um clique seco e uma espécie de sopro. Deve ter acendido um cigarro, ele pensou. Dobrou mecanicamente o corpo para a esquerda até trazer o cinzeiro cheio de pontas para o lado do telefone.

— Que que houve? — perguntou lento, olhando em volta à procura de um maço de cigarros.

— Escuta, você não quer dar uma saída?

— Estou cansado. Não tenho cabeça. E amanhã preciso acordar muito cedo.

— Mas eu passo aí com o carro. Depois deixo você de novo. A gente não demora nada. Podia ir a um bar, a um cinema, a um.

— Já passa das dez — ele disse.

A voz dela ficou um pouco mais aguda.

— E vir aqui, quem sabe. Também você não quer, não é? Tenho uma vodca ótima. Daquelas. Você adora, nem abri ainda. Só não tenho limão, você traz? — A voz ficou subitamente tão aguda que ele afastou um pouco o fone do ouvido. Por um momento ficou ouvindo a melodia distante, lenta e arranhada do piano. Através dos vidros da porta, com a luz acesa nos fundos, conseguia ver a copa verde das plantas no jardim, algumas folhas amareladas caídas no chão de cimento. Sem querer, quase estremeceu de frio. Ou uma espécie de medo. Esfregou a palma seca da mão esquerda contra a coxa. A voz dela ficou mais baixa quando perguntou: — E se eu fosse até aí?

Os dedos dele tocaram o maço de cigarros no bolso da calça. Ele contraiu o ombro direito, equilibrando o fone contra o rosto, e puxou devagar o maço.

— Sabe o que é — disse.

— Lui?

Com os dentes, ele prendeu o filtro de um dos cigarros. Mordeu-o, levemente.

— Alô, Lui? Você está aí?

Ele contraiu mais o ombro para acender o cigarro. O fone quase se desequilibrou. Tragou fundo. Tornou a pegar o fone com a mão e soltou pouco a pouco o ombro dolorido soprando a fumaça.

— Eu já estava quase dormindo.

— Que música é essa aí no fundo? — ela perguntou de repente.

Ele puxou o cinzeiro para perto. Virou a capa do disco nas mãos.

— Chama-se "Por um desespero agradável" — mentiu. — Você gosta?

— Não sei. Acho que dá um pouco de sono. Quem é?

Ele bateu o cigarro três vezes na borda do cinzeiro, mas não caiu nenhuma cinza.

— Um cara aí. Um doido.

— Como ele se chama?

— Erik Satie — ele disse bem baixo. Ela não ouviu.

— Lui? Alô, Lui?

— Digue.

— Estou te enchendo o saco? — Outra vez ele escutou o silêncio curto, o clique seco e o sopro leve. Deve ter acendido outro cigarro, pensou. E soprou a fumaça.

— Não — disse.

— Estou te enchendo? Fala. Eu sei que estou.

— Tudo bem, eu não estava mesmo fazendo nada.

— Não consigo dormir — ela disse muito baixo.

— Você está deitada?

— É, lendo. Aí me deu vontade de falar com você.

Ele tragou fundo. Enquanto soprava a fumaça, curvou outra vez o corpo para apanhar o caneco de cerâmica. Enfiou o indicador até o fundo, depois mordiscou as folhas miúdas com os incisivos e perguntou:

— O que é que você estava lendo?

— Nada, não. Uma matéria aí numa revista. Um negócio sobre monoculturas e sprays.

— *What about?*

— Hein?

— O que você estava lendo.

Ela tossiu. Depois pareceu se animar.

— Umas coisas assim, ecologias, sabe? Dizque se você só planta uma espécie de coisa na terra por muitos anos, ela acaba morrendo. A terra, não a coisa plantada, entende? Soja, por exemplo. Dizque acaba a camada de húmus. Parece que eucalipto também. Depois aos poucos vira deserto. Vão ficando uns pontos assim. Vazios, entende? Desérticos. Espalhados por toda a terra.

O disco acabou, ele não se mexeu. Depois, recomeçou.

— Assim como se você pingasse uma porção de gotas de tinta num mata-borrão — ela continuou. — Eles vão se espalhando cada vez mais. Acabam se encontrando uns com os outros um dia, entende? O deserto fica maior. Fica cada vez maior. Os desertos não param nunca de crescer, sabia?

— Sabia — ele disse.

— Horrível, não?

— E os sprays?

— O quê?

— Os sprays. O que é que tem os sprays?

— Ah, pois é. Foi na mesma revista. Dizque cada apertada que você dá assim num tubo de desodorante. Não precisa ser desodorante, qualquer tubo, entende? Faz assim ah, como é que eu vou dizer? Um furo, sabe? Um rombo, um buraco na camada de como é mesmo que se diz?

— Ozônio — ele disse.

— Pois é, ozônio. O ar que a gente respira, entende? A biosfera.

— Já deve estar toda furadinha então — ele disse.

— O quê?

— Deve estar toda furada — ele repetiu bem devagar. — A camada. A biosfera. O ozônio.

— Já pensou que horror? Você sabia disso, Lui?

Ele não respondeu.

— Alô, Lui? Você ainda está aí?

— Estou.

— Acho que fiquei meio horrorizada. E com medo. Você não tem medo, Lui?

— Estou cansado.

Do outro lado da linha, ela riu. Pelo som, ele adivinhou que ela ria sem abrir a boca, apenas os ombros sacudindo, movendo a cabeça para os lados, alguns fios de cabelo caídos nos olhos.

— Não estou te alugando? — ela perguntou. — Você sempre diz que eu te alugo. Como se você fosse um imóvel, uma casa. Eu, se fosse uma casa, queria uma piscina nos fundos. Um jardim enorme. E ar-condicionado. Que tipo de casa você queria ser, Lui?

— Eu não queria ser casa.

— Como?

— Queria ser um apartamento.

— Sei, mas que tipo?

Ele suspirou:

— Uma quitinete. Sem telefone.

— O quê? Alô, Lui? Você não ia mesmo fazer nada?

— Um chá, eu ia fazer um chá.

— Não era café? Me lembro que você falou que ia fazer café.

— Não tem mais pó. — Ele lambeu a ponta do indicador, depois umedeceu o nariz por dentro. Então sacudiu o cinzeiro cheio de pontas queimadas e cinza. Algumas partículas voaram, caindo sobre a capa branca do disco, com um desenho abstrato no centro. Com cuidado, juntou-as num montinho sobre o canto roxo da figura central. — Nem coador de papel. E acabei de me lembrar que tenho um chá incrível. Tem até uma bula louquíssima, quer ver? Guardei aqui dentro. — Ele equilibrou o fone com o ombro e abriu a cadernetinha preta de endereços.

— Chá não tem bula — ela resmungou. Parecia aborrecida, meio infantil. — Bula é de remédio.

— Tem sim, esse chá tem. Quer ver só? — Entre duas fotos Polaroid desbotadas, na contracapa da caderneta, encontrou o retângulo de papel amarelo dobrado em quatro.

— Lui? Você não quer mesmo vir até aqui? Sabe — ela tornou a rir, e desta vez ele imaginou que quase escancarava a boca, passando devagar a língua pelos lábios ressecados de cigarro —, eu acho que fiquei meio impressionada com essa história dos desertos, dos buracos, do ozônio. Lui, você acha que o mundo está mesmo no fim?

Ele desdobrou sobre a mesa o papel amarelo, ao lado das duas fotos tão desbotadas quanto as manchas redondas de xícaras quentes na madeira escura. Uma das fotos era de uma mulher quase bonita, cabelos presos e brincos de ouro em forma de rosas miudinhas. A outra era de um rapaz com blusa preta de gola em V, o rosto apoiado numa das mãos, leve estrabismo nos olhos escuros.

— Sem falar nas usinas nucleares — ele disse. E com a ponta dos dedos, do canto roxo do desenho na capa do disco, foi empurrando o montículo de cinzas por cima das formas torcidas, marrom, amarelo, verde, até o espaço branco e, por fim, exatamente sobre o rosto do rapaz da foto.

— Lui? — ela chamou inquieta. — Encontrou o negócio do tal chá?

— Encontrei.

—Você está esquisito. O que é que há?

— Nada. Estou cansado, só isso. Quer ver o que diz a bula? É inglês, você entende um pouco, não é? — Ela não respondeu. Então ele leu, dramático: — *...is excellent for all types of nervous disorders, paranoia, schizophrenia, drugs effects, digestive problems, hormonal diseases and other disorders...* — Começou a rir baixinho, divertido: — Entendeu?

— Entendi — ela disse. — É um inglês fácil, qualquer um entende. Porreta esse chá, hein? É inglês?

Ele continuou rindo:

— Chinês. Aqui embaixo diz *produced in China*. — Com a cinza, cobriu todo o olho estrábico do rapaz. — *Drugs effects* é ótimo, não é?

— Maravilhoso — ela falou. — O disco tá tocando de novo, já ouvi esse pedaço.

— É que ele parece assim todo igual. Que nem chuva.

—Acho que vou ligar o rádio.

— Isso. Procura uma música bem sonífera. — Espalhou as cinzas sobre o nariz do rapaz, onde as sobrancelhas se uniam cerradas em V, como a gola da blusa preta. — Aí você vai apagando, apagando, apagando. Então dorme. Quase sem sentir. — E sem sentir, repetiu: — Sem sentir.

—Tá bom — ela disse.

—Tá bom — ele repetiu. E pensou que quando começavam a falar desse jeito sempre era um sinal tácito para algum desligar. Mas não quis ser o primeiro.

—Vou tirar amanhã — ela falou de repente.

— Hein?

— Nada. Vai fazer teu chá.

— Tá bom. Aqui diz também que tem vitamina E. — Abriu a mão e olhou as manchas branquicentas na palma. — Não é essa que é boa para a pele?

— Acho que aquela é a A. Não entendo muito de vitaminas.

— Nem eu. A C eu sei que é a da gripe, todo mundo sabe. Qual será a que cura os tais *drugs effects*? Cheirei todas hoje. Estou com aquele... vazio intenso, sabe como?

— Não sei. — De repente ela parecia apressada. — Vou desligar.

— Você ligou o rádio?

— Ainda não. Como é mesmo o nome dessa música?

— "Por um desespero agradável" — ele mentiu outra vez, depois corrigiu: — Não. É só "Desespero agradável".

— Agradável?

— É, agradável. Por que não?

— Engraçado. Desespero nunca é agradável.

— Às vezes sim. Cocaína, por exemplo.

— Você só pensa nisso?

— Não, penso em fazer um chá também.

— Hein?

— Mas essa que tá tocando agora é outra, ouça. — Ele ergueu um momento o fone no ar em direção às caixas de som e ficou um momento assim, parado. — São todas muito parecidas. Só piano, mais nada. — A cinza cobria o rosto inteiro do rapaz na foto. — Essa agora chama-se "À l'occasion d'une grande peine".

— Sei.

— É francês.

— Sei.

— Pena, dor. Não pena de galinha. Uma grande dor. *Occasion* acho que é ocasião mesmo. Mas podia ser passagem. Melhor, você não acha? *Passagem* parece que já vai embora, que já vai passar. O que é que você acha?

— Vou ver se durmo. — Ela bocejou. — Francês, inglês, chá chinês. Você hoje está internacional demais para o meu gabarito.

— Escapismo — ele disse. E acendeu outro cigarro.

— Uma pena que você não queira mesmo sair. — A voz dela parecia mais longe. — Estou pensando em abrir mesmo aquela garrafa de vodca.

— Antes de dormir? — ele falou. — Toma leite morno, dá sono. Põe bastante canela. E mel, açúcar faz mal.

— Mal? Logo quem falando...

— Faça o que eu digo, não faça o que eu.

A cinza descia pelo pescoço, quase confundida com o preto da gola. A voz dela soava um tanto irônica, quase ferina.

— Ué, agora você resolveu cuidar de mim, é?

— Vou fazer meu chá — ele disse.

— Como é mesmo que se pronuncia? *Esquizôfrenia?*

— Não, é *squizofrênia*. Tem acento nesse e aí. E se escreve com esse, cê, agá. Depois tem também um pê e outro agá. Tem dois agás.

— E nenhum ipsilone? Nenhum dábliu? — ela perguntou como se estivesse exausta. E amarga. — Adoro ipsilones, dáblius e cás. Tão chique.

— *D'accord* — ele disse. — Mas não tem nenhum.

— Tá bom — ela riu sem vontade. Em seguida disse tchau, até mais, boa noite, um beijo, e desligou.

Ele abriu a boca, mas antes de repetir as mesmas coisas ouviu o clique do fone sendo colocado no gancho do outro lado da cidade. O disco chegara novamente ao fim, mas antes que recomeçasse ele curvou-se e desligou o som. Em pé, ao lado da mesa, amarfanhou o papel amarelo e jogou-o no cinzeiro. Depois soprou as cinzas do rosto do rapaz. Algumas partículas caíram sobre a foto da mulher. Andou então até o pequeno corredor, curvou-se sobre a planta e com a brasa do cigarro fez um furo redondo na folha. Respirou fundo sem sentir cheiro algum. A sala continuava mergulhada naquela penumbra bordô, baça, moribunda, a almofada fosforescendo estranhamente esverdeada à luz azul de mercúrio. Ele fez um movimento em direção ao telefone. Chegou a avançar um pouco, como se fosse voltar. Mas não se moveu. Imóvel assim no meio da casa, o som desligado e nenhum outro ruído, era possível ouvir o vento soprando solto pelos telhados.

***Morangos Mofados*, 1982**

Sargento Garcia

À memória de Luiza Felpuda

1

— Hermes. — O rebenque estalou contra a madeira gasta da mesa. Ele repetiu mais alto, quase gritando, quase com raiva: — Eu chamei Hermes. Quem é essa lorpa?

Avancei do fundo da sala.

— Sou eu.

— Sou eu, meu sargento. Repita.

Os outros olhavam, nus como eu. Só se ouvia o ruído das pás do ventilador girando enferrujadas no teto, mas eu sabia que riam baixinho, cutucando-se excitados. Atrás dele, a parede de reboco descascado, a janela pintada de azul-marinho aberta sobre um pátio cheio de cinamomos caiados de branco até a metade do tronco. Nenhum vento nas copas imóveis. E moscas amolecidas pelo calor, tão tontas que se chocavam no ar, entre o cheiro da bosta quente de cavalo e corpos sujos de machos. De repente, mais nu que os outros, eu: no centro da sala. O suor escorria pelos sovacos.

— Ficou surdo, idiota?

— Não. Não, seu sargento.

— *Meu* sargento.

— Meu sargento.

— Por que não respondeu quando eu chamei?

— Não ouvi. Desculpe, eu...

— Não ouvi, meu sargento. Repita.

— Não ouvi. Meu sargento.

Parecia divertido, o olho verde frio de cobra quase oculto sob as sobrancelhas unidas em ângulo agudo sobre o nariz. Começava a odiar aquele bigode grosso como um manduruvá cabeludo rastejando em volta da boca, cortina de veludo negro entreaberta sobre os lábios molhados.

— Tem cera nos ouvidos, pamonha?

Olhou em volta, pedindo aprovação, dando licença. Um alívio percorreu a sala. Os homens riam livremente agora. Podia ver, à minha direita, o alemão de costela quebrada, a ponta quase furando a barriga sacudida por um riso banguela. E o saco murcho do crioulo parrudo.

— Não, meu sargento.

— E no rabo?

Surpreso e suspenso, o coro de risos. As pás do ventilador voltaram a arranhar o silêncio, feito filme de mocinho, um segundo antes do tiro. Ele olhou os homens, um por um. O riso recomeçou, estridente. A ponta da costela vibrava no ar, *um acidente no roça com minha ermón*. Imóveis, as folhas bem de cima dos cinamomos. O saco murcho, como se não houvesse nada dentro, *sou faixa preta, morou?* Uma mosca esvoaçou perto do meu olho. Pisquei.

— Esquece. E não pisca, bocó. Só quando eu mandar.

Levantou-se e veio vindo na minha direção. A camiseta branca com grandes manchas de suor embaixo dos braços peludos, cruzados sobre o peito, a ponta do rebenque curto de montaria, ereto e tenso, batendo ritmado nos cabelos quase raspados, duros de brilhantina, colados ao crânio. Num salto, o rebenque enveredou em direção à minha cara, desviou-se a menos de um palmo, zunindo, para estalar com força nas botas. Estremeci. Era ridícula a sensação de minha bunda exposta, branca e provavelmente trêmula, na frente daquela meia dúzia de homens pelados. O manduruvá contraiu-se, lesma respingada de sal, a cortina afastou-se para um lado. Um brilho de ouro dançou sobre o canino esquerdo.

— Está com medo, moloide?

— Não, meu sargento. É que.

O rebenque estalou outra vez na bota. Couro contra couro. Seco. A sala inteira pareceu estremecer comigo. Na parede, o retrato do marechal Castelo Branco oscilou. Os risos cessaram. Mas junto com o zumbido do sangue quente na minha cabeça, as pás ferrugentas do ventilador e o voo gordo das moscas, eu localizava também um ofegar seboso, nojento. Os outros esperavam. Eu esperava. Seria assim um cristão na arena? pensei sem querer. O leão brincando com a vítima, patas vadias no ar, antes de desferir o golpe mortal.

— Quem fala aqui sou eu, correto?

— Correto, sargento. Meu sargento.

— Limite-se a dizer *sim, meu sargento* ou *não, meu sargento.* Correto?

— Sim, meu sargento.

Muito perto, cheiro de suor de gente e cavalo, bosta quente, alfafa, cigarro e brilhantina. Sem mover a cabeça, senti seus olhos de cobra percorrendo meu corpo inteiro vagarosamente. Leão entediado, general espartano, tão minucioso que podia descobrir a cicatriz de arame farpado escondida na minha coxa direita, os três pontos de uma pedrada entre os cabelos, e pequenas marcas, manchas, mesmo as que eu desconhecia, todas as verrugas e os sinais mais secretos da minha pele. Moveu o cigarro com os dentes. A brasa quente passou raspando junto à minha face. O mamilo do peito saliente roçou meu ombro. Voltei a estremecer.

— Mocinho delicado, hein? É daqueles bem-educados, é? Pois se te pego num cortado bravo, tu vai ver o que é bom pra tosse, perobão.

Os homens remexiam-se, inquietos. Romanos, queriam sangue. O rebenque, a bota, o estalo.

— Sen-tido!

Estiquei a coluna. O pescoço doía, retesado. As mãos pareciam feitas apenas de ossos crispados, sem carne, pele nem músculos. Pisou o cigarro com o salto da bota. Cuspiu de lado.

— Descan-sar!

Girou rápido sobre os calcanhares, voltando para a mesa. Cruzei as mãos nas costas, tentando inutilmente esconder a bunda nua. Além da copa dos cinamomos, o céu azul não tinha nenhuma nuvem. Mas lá embaixo, na banda do rio, o horizonte começava a ficar avermelhado. Com um tapa, alguém esmagou uma mosca.

— Silêncio, patetas!

Olhou para o meu peito. E baixou os olhos um pouco mais.

— Então tu é que é o tal de Hermes?

— Sim, meu sargento.

— Tem certeza?

— Sim, meu sargento.

— Mas de onde foi que tu tirou esse nome?

— Não sei, meu sargento.

Sorriu. Eu pressenti o ataque. E quase admirei sua capacidade de comandar as reações daquela manada bruta da qual, para ele, eu devia fazer parte. Presa suculenta, carne indefesa e fraca. Como um idiota, pensei em Deborah Kerr no meio dos leões em cinemascope, cor de luxe, túnica branca, rosas nas mãos, um quadro antigo na casa de minha avó, Cecília entre os leões, ou seria Jean Simmons? figura de catecismo, os-cristãos-eram-obrigados-a-negar-sua-fé-sob-pena-de-morte, o padre Lima fugiu com a filha do barbeiro, que deve ter virado mula sem cabeça, a filha, não o padre, nem o barbeiro.

O silêncio crescendo. Um cavalo esmolambado cruzou o espaço vazio da janela, palco, tela, minha cabeça galopava, Steve Reeves ou Victor Macture, sozinho na arena, peitos suados, o mártir, estrangulando o leão, os cantos da boca, não era assim, as-comissuras-dos-lábios-voltadas-para-baixo-num-esforço-hercúleo, o trigo venceu a ferocidade do monstro de guampas. A mosca pousou bem na ponta do meu nariz.

— Por acaso tu é filho das macegas?

Minha cara incendiava. Ele apagou o cigarro dentro do pequeno capacete militar invertido, sustentado por três espingardas cruzadas. E me olhou de frente, pela primeira vez, firme, sobrancelhas agudas sobre o nariz, fundo, um falcão atento à presa, forte. A mosca levantou voo da ponta do meu nariz.

Não me fira, pensei com força, tenho 17 anos, quase 18, gosto de desenhar, meu quarto tem um Anjo da Guarda com a moldura quebrada, a janela dá para um jasmineiro, no verão eu fico tonto, meu sargento, me dá assim como um nojo doce, a noite inteira, todas as noites, todo o verão, vezenquando saio nu na janela com uma coisa que não entendo direito acontecendo pelas minhas veias, depois abro *As mil e uma noites* e tento ler, meu sargento, *sois um bom dervixe, habituado a uma vida tranquila, distante dos cuidados do mundo,* na manhã seguinte minha mãe diz sempre que tenho olheiras, e bate na porta quando vou ao banheiro e repete repete que aquele disco da Nara Leão é muito chato, que eu devia parar de desenhar tanto, porque já tenho 17 anos, quase 18, e nenhuma vergonha na cara, meu sargento, nenhum amigo, só esta tontura seca de estar começando a viver, um monte de coisas que eu não entendo, todas as manhãs, meu sargento, para todo o sempre, amém.

Feito cometas, faíscas cruzaram na frente dos meus olhos. Tive medo de cair. Mas as folhas mais altas dos cinamomos começaram a se mover. O sol quase caindo no Guaíba. E não sei se pelo olhar dele, se pelo nariz livre da mosca, se pela minha história, pela brisa vinda do rio ou puro cansaço, parei de odiá-lo naquele exato momento. Como quem muda uma estação de rádio. Esta, sentia impreciso, sem interferências.

— Pois, seu Hermes, então tu é o tal que tem pé chato, taquicardia e pressão baixa? O médico me disse. Arrimo de família, também?

— Sim, meu sargento — menti apressado, aquele médico amigo de meu pai. Uma suspeita cruzou minha cabeça, e se ele descobrisse? Mas tive certeza: ele já sabia. O tempo todo. Desde o começo. Movimentei os ombros, mais leves. Olhei fundo no fundo frio do olho dele.

— Trabalha?

— Sim, meu sargento — menti outra vez.

— Onde?

— Num escritório, meu sargento.

— Estuda?

— Sim, meu sargento.

— O quê?

— Pré-vestibular, meu sargento.

— E vai fazer o quê? Engenharia, direito, medicina?

— Não, meu sargento.

— Odontologia? Agronomia? Veterinária?

— Filosofia, meu sargento.

Uma corrente elétrica percorreu os outros. Esperei que atacasse novamente. Ou risse. Tornou a me examinar lento. Respeito, aquilo, ou pena? O olhar se deteve, abaixo do meu umbigo. Acendeu outro cigarro, Continental sem filtro, eu podia ver, com o isqueiro em forma de bala. Espiou pela janela. Devia ter visto o céu avermelhado sobre o rio, o laranja do céu, o quase roxo das nuvens amontoadas no horizonte das ilhas. Voltou os olhos para mim. Pupilas tão contraídas que o verde parecia vidro liso, fácil de quebrar.

— Pois, seu filósofo, o senhor está dispensado de servir à pátria. Seu certificado fica pronto daqui a três meses. Pode se vestir. — Olhou em volta, o alemão, o crioulo, os outros machos. — E vocês, seus analfabetos, deviam era criar vergonha nessa cara porca e se mirar no exemplo aí do moço. Como se não bastasse ser arrimo de família, um dia ainda vai sair filosofando por aí, enquanto vocês vão continuar pastando que nem gado até a morte.

Caminhei para a porta, tão vitorioso que meu passo era uma folha vadia, dançando na brisa da tardezinha. Abriram caminho para que eu passasse. Lerdos, vencidos. Antes de entrar na outra sala, ouvi o rebenque estalando contra a bota negra.

— Sen-tido! Estão pensando que isso aqui é o cu-da--mãe-joana?

2

Parado no portão de ferro, olhei direto para o sol. Meu truque antigo: o em-volta tão claro que virava seu oposto e se tornava escuro, enchendo-se de sombras e reflexos que se uniam aos poucos, organizando-se em forma de objetos ou apenas dançando soltos no espaço à minha frente, sem formar coisa alguma. Eram esses os que me interessavam, os que dançavam vadios no ar, sem fazer parte das nuvens, das árvores nem das casas. Eu não sabia para onde iriam, depois que meus olhos novamente acostumados à luz colocavam cada coisa em seu lugar, assim: casa — paredes, janelas e portas; árvores — tronco, galhos e folhas; nuvens — fiapos estirados ou embolados, vezenquando brancos, vezenquando coloridos. Cada coisa era cada coisa e inteira, na união de todas as suas infinitas partes. Mas e as sombras e os reflexos, esses que não se integravam em forma alguma, onde ficavam guardados? Para onde ia a parte das coisas que não cabia na própria coisa? Para o fundo do meu olho, esperando o ofuscamento para vir à tona outra vez? ou entre as próprias coisas-coisas, no espaço vazio entre o fim de uma parte e o começo de outra pequena parte da coisa inteira? Como um por trás do real, feito espírito de sombra ou luz, claro-escuro escondido no mais de-dentro de um tronco de árvore ou no espaço entre um tijolo e outro ou no meio de dois fiapos de nuvem, onde? As cigarras chiavam no pátio de cinamomos caiados.

Respirei fundo, erguendo um pouco os ombros para engolir mais ar. Meu corpo inteiro nunca tinha me parecido tão novo. Comecei a descer o morro, o quartel ficando para trás. Bola de fogo suspensa, o sol caía no rio. Sacudi um pé de manacá, a chuva adocicada despencou na minha cabeça. Na primeira curva, o Chevrolet antigo parou a meu lado. Como um grande morcego cinza.

—Vai pra cidade?

Como se estivesse surpreso, espiei para dentro. Ele estava debruçado na janela, o sol iluminando o meio sorriso, fazendo brilhar o remendo dourado do canino esquerdo.

— Quer carona?

—Vou tomar o bonde logo ali na Azenha.

—Te deixo lá — disse. E abriu a porta do carro.

Entrei. O cigarro moveu-se de um lado para outro na boca, enquanto a mão engatava a primeira. Um vento entrando pela janela fazia meu cabelo voar. Ele segurou o cigarro, Continental sem filtro, eu tinha visto, entre o polegar e o indicador amarelados, cuspiu pela janela, depois me olhou.

— Ficou com medo de mim?

Não parecia mais um leão, nem general espartano. A voz macia, era um homem comum sentado na direção de seu carro. Tirei do bolso a caixinha de chicletes, abri devagar sem oferecer. Mastiguei. A camada de açúcar partiu-se, um sopro gelado abriu minha garganta. Engoli o vento para que ficasse ainda mais gelada.

— Não sei. — E quase acrescentei *meu sargento.* Sorri por dentro. — Bom, no começo fiquei um pouco. Depois vi que o senhor estava do meu lado.

— Senhor, não: Garcia, a bagualada toda me chama de Garcia. Luiz Garcia de Souza. Sargento Garcia. — Simulou uma continência, tornou a cuspir, tirando antes o cigarro da boca. — Quer dizer então que tu achou que eu estava do teu lado. — Eu quis dizer qualquer coisa, mas ele não deixou. O carro chegava no fim do morro. — É que logo vi que tu era diferente do resto. — Olhou para mim. Sem frio nem medo, me encolhi no banco. — Tenho que lidar com gente grossa o dia inteiro. Nem te conto. Aí quando aparece um moço mais fino, assim que nem tu, a gente logo vê. — Passou os dedos no bigode. — Então quer dizer que tu vai ser filósofo, é? Mas me conta, qual é a tua filosofia de vida?

— De vida? — Eu mordi o chiclete mais forte, mas o açúcar tinha ido embora. — Não sei, outro dia andei lendo um cara aí. Leibniz, aquele das mônadas, conhece?

— Das o quê?

— As mônadas. É um cara aí, ele dizia que tudo no universo são. Assim que nem janelas fechadas, como caixas. Mônadas, entende? Separadas umas das outras. — Ele franziu a testa, interessado. Ou sem entender nada. Continuei: — Incomunicáveis, entende? Umas coisas assim meio sem ter nada a ver umas com as outras.

— Tudo?

— É, tudo, eu acho. As casas, as pessoas, cada uma delas. Os animais, as plantas, tudo. Cada um, uma mônada. Fechada.

Pisou no freio. Estendi as mãos para a frente.

— Mas tu acredita mesmo nisso?

— Eu acho que.

— Pois pra te falar a verdade, eu aqui não entendo desses troços. Passo o dia inteiro naquele quartel, com aquela bagualada mais grossa que dedo destroncado. E com eles a gente tem é que tratar assim mesmo, no braço, trazer ali no cabresto, de rédea curta, senão te montam pelo cangote e a vida vira um inferno. Não tenho tempo pra perder pensando nessas coisas aí de universo. Mas acho bacana. — A voz amaciou, depois tornou a endurecer. — Minha filosofia de vida é simples: pisa nos outros antes que te pisem. Não tem essas mônicas daí. Mas tu tem muita estrada pela frente, guri. Sabe que idade eu tenho? — Examinou meu rosto. Eu não disse nada. — Pois tenho 33. Do teu tamanho andava por aí meio desnorteado, matando contrabandista na fronteira. O quartel é que me pôs nos eixos, senão tinha virado bandido. A vida me ensinou a ser um cara aberto, admito tudo. Só não aguento comunista. Mas graças a Deus a revolução já deu um jeito nesse putedo todo. Aprendi a me virar, seu filósofo. A me defender no braço e no grito. — Jogou fora o cigarro. A voz macia outra vez. — Mas contigo é diferente.

Mastiguei o chiclete com mais força. Agora não passava de uma borracha sem gosto.

— Diferente como?

Ele olhava direto para mim. Embora o vento entrasse pela janela aberta, uma coisa morna tinha se instalado dentro do carro, naquele ar enfumaçado entre ele e eu. Podia haver pontes entre as mônadas, pensei. E mordi a ponta da língua.

— Assim, um moço fino, educado. Bonito. — Fez uma curva mais rápida. O pneu guinchou. — Escuta, tu tem mesmo que ir embora já?

— Agora já, já, não. Mas se eu chegar em casa muito tarde minha mãe fica uma fúria.

Mais duas quadras e chegaríamos no ponto do bonde, em frente ao cinema Castelo. Bem depressa, eu tinha que dizer ou fazer alguma coisa, só não sabia o quê, meu coração galopava esquisito, as palmas das mãos molhadas. Olhei para ele. Continuava olhando para mim. As casas baixas da Azenha passavam amontoadas, meio caídas umas sobre as outras, uma parede rosa, uma janela azul, uma porta verde, um gato preto numa janela branca, uma mulher de lenço amarelo na cabeça, chamando alguém, a lomba do cemitério, uma menina pulando corda, os ciprestes ficando para trás. Estendeu a mão. Achei que ia fazer uma mudança, mas os dedos desviaram-se da alavanca para pousar sobre a minha coxa.

— Escuta, tu não tá a fim de dar uma chegada comigo num lugar aí?

— Que lugar? — Temi que a voz desafinasse. Mas saiu firme.

Aranha lenta, a mão subiu mais, deslizou pela parte interna da coxa. E apertou, quente.

— Um lugar aí. Coisa fina. A gente pode ficar mais à vontade, sabe como é. Ninguém incomoda. Quer?

Tínhamos ultrapassado o ponto do bonde. Bem no fundo, lá onde o riacho encontrava com o Guaíba, só a parte superior do sol estava fora d'água. Devia estar amanhecendo no Japão — antípodas, mônadas —, nessas horas eu sempre pensava assim. Me vinha a sensação de que o mundo era enorme, cheio de coisas desconhecidas. Boas nem más. Coisas soltas feito aqueles reflexos e sombras metidos no meio de outras coisas, como se nem existissem, esperando só a hora da gente ficar ofuscado para sair flutuando no meio do que se podia tocar. Assim: dentro do que se podia tocar, escondido, vivia também o que só era visível quando o olho ficava tão inundado de luz que enxergava esse invisível no meio do tocável. Eu não sabia.

— Me dá um cigarro — pedi. Ele acendeu. Tossi. Meu pai com o cinturão dobrado, agora tu vai me fumar todo esse maço, desgraçado, parece filho de bagaceira. A mão quente subiu mais, afastou a camisa, um dedo entrou no meu umbigo, apertou, juntou-se aos outros, aranha peluda, tornou a baixar, caminhando entre as minhas pernas.

— Claro que quer. Estou vendo que tu não quer outra coisa, guri.

Pegou na minha mão. Conduziu-a até o meio das pernas dele. Meus dedos se abriram um pouco. Duro, tenso, rijo. Quase estourando a calça verde. Moveu-se, quando toquei, e inchou mais. Cavidades-porosas-que--se-enchem-de-sangue-quando-excitadas. Meu primo gritou na minha cara: maricão, mariquinha, quiáquiáquiá. O vento descabelava o verde da Redenção, os coqueiros da João Pessoa. Mariquinha, maricão, quiáquiáquiá. E não, eu não sabia.

— Nunca fiz isso.

Ele parecia contente.

— Mas não me diga. Nunca? Nem quando era piá? Uma sacanagenzinha ali, na beira da sanga? Nem com mulher? Com china de zona? Não acredito. Nem nunca barranqueou égua? Tamanho homem.

— É verdade.

Diminuiu a marcha. Curvou-se sobre mim.

— Pois eu te ensino. Quer?

Traguei fundo. Uma tontura me subiu pela cabeça. De dentro das casas, das árvores e das nuvens, as sombras e os reflexos guardados espiavam, esperando que eu olhasse outra vez direto para o sol. Mas ele já tinha caído no rio. Durante a noite os pontos de luz dormiam quietos, escondidos, guardados no meio das coisas. Ninguém sabia. Nem eu.

— Quero — eu disse.

3

Vontade de parar, eu tinha, mas o andar era incontrolável, a cabeça em várias direções, subindo a ladeira atrás dele, tu sabe como é, tem sempre gente espiando a vida alheia, melhor eu ir na frente, fica no portão azul, vem vindo devagar, como se tu não me conhecesse, como se nunca tivesse me visto em toda a tua vida. Como se nunca o tivesse visto em toda a minha vida, seguia aquela mancha verde, mãos nos bolsos, cigarro aceso, de repente sumindo portão adentro com um rápido olhar para trás, gancho que me fisgava. Mergulhei na sombra atrás dele. Subi os degraus de cimento, empurrei a porta entreaberta, madeira velha, vidro rachado, penetrei na sala escura com cheiro de mofo e cigarro velho, flores murchas boiando em água viscosa.

— O de sempre, então? — ela perguntava, e quase imediatamente corrigi, dentro da minha própria cabeça, olhando melhor e mais atento, ele, dentro de um robe colorido desses meio estofadinhos, cheio de manchas vermelhas de tomate, batom, esmalte ou sangue. — O senhor, hein, sargento? — piscou íntimo, íntima, para o sargento e para mim. — Esta é a sua vítima?

— Conhece a Isadora?

A mão molhada, cheia de anéis, as longas unhas vermelhas, meio descascadas, como a porta. Apertei. Ela riu.

— Isadora, queridinho. Nunca ouviu falar? Isadora Duncan, a bailarina. Uma mulher finíssima, maravilhosa, a minha ídola, eu adoro tanto que adotei o nome. Já pensou se eu usasse o Valdemir que minha mãezinha me deu? Coitadinha, tão bem-intencionada. Mas o nome, ai, o nome. Coisa mais cafona. Aí mudei. Se Deus quiser, um dia ainda vou morrer estrangulada pela minha própria echarpe. Tem coisa mais chique?

— Bacana — eu disse.

O sargento ria, esfregando as mãos.

— Não repare, Isadora. Ele está meio encabulado. Diz-que é a primeira vez.

— Nossa. Taludinho assim. E nunca fez, é, meu bem? Nunquinha, jura pra tia? — A mão no meu ombro, pedra de anel arranhando leve meu pescoço. Revirou os olhos. — Conta a verdade pra tua Isadora, toda a verdade, nada mais que a verdade. Tu nunca fez, guri? — Tentei sorrir. O canto da minha boca tremeu. Ele falava sem parar, olhinhos meio estrábicos, sombreados de azul. — Mas olha, relaxa que vai dar tudo certinho. Sempre tem uma primeira vez na vida, é um momento histórico, queridinho. Merece até uma comemoração. Uma cachacinha, sargento? Tem aí daquela divina que o senhor gosta.

— O moço tá com pressa.

Isadora piscou maliciosa, os cílios duros de tinta respingando pequenos pontinhos pretos nas faces.

— Pressa, eu, hein? Sei. Não é todo dia que a gente tem carne fresquinha na mesa. De primeira, não é, sargento? — Ele riu. Ela rodou a chave nas mãos e, por um instante, pensei numa baliza na frente de um desfile de Sete de Setembro, jogando para o alto o bastão cheio de fitas coloridas. — Tá bem, tá bem. Vou levar os pombinhos para a suíte nupcial. Que tal o quarto 7? Número da sorte, não? Afinal, a primeira vez é uma só na vida. — Passou por mim, enfiando-se no corredor escuro. — Tenho certeza que o mocinho vai a-do-rar, ficar freguês de caderno. Ninguém esquece uma mulher como Isadora.

O sargento me empurrou. Entre a farda verde e o robe cheio de manchas, o cheiro de suor e perfume adocicado, imprensado no corredor estreito, eu. Isadora cantava *que queres tu de mim que fazes junto a mim se tudo está perdido amor?* Um ruído seco, ferro contra ferro. A cama com lençóis encardidos, um rolo de papel higiênico cor-de-rosa sobre o caixote que servia de mesinha de cabeceira. Isadora enfiou a cabeça despenteada pelo vão da porta.

— Divirtam-se, crianças. Só não gritem muito, senão os vizinhos ficam umas feras.

A cabeça desapareceu. A porta fechou. Sentei na cama, as mãos nos bolsos. Ele foi chegando muito perto. O volume esticando a calça, bem perto do meu rosto. O cheiro: cigarro, suor, bosta de cavalo. Ele enfiou a mão pela gola da minha camisa, deslizou os dedos, beliscou o mamilo. Estremeci. Gozo, nojo ou medo, não saberia. Os olhos dele se contraíram.

— Tira a roupa.

Joguei as peças, uma por uma, sobre o assoalho sujo. Deitei de costas. Fechei os olhos. Ardiam, como se tivesse acordado de manhã muito cedo. Então um corpo pesado caiu sobre o meu e uma boca molhada, uma boca funda feito poço, uma língua ágil lambeu meu pescoço, entrou no ouvido, enfiou-se pela minha boca, um choque seco de dentes, ferro contra ferro, enquanto dedos hábeis desciam por minhas virilhas inventando um caminho novo. *Então que culpa tenho eu se até o pranto que chorei se foi por ti não sei* — a voz de Isadora vinha de longe, como se saísse de dentro de um aquário, Isadora afogada, a maquiagem derretida cobrindo a água, a voz aguda misturada aos gemidos, metendo-se entre aquele bafo morno, cigarro, suor, bosta de cavalo, que agora comandava meus movimentos, virando-me de bruços sobre a cama.

O cheiro azedo dos lençóis, senti, quantos corpos teriam passado por ali, e de quem, pensei. Tranquei a respiração. Os olhos abertos, a trama grossa do tecido. Com os joelhos, lento, firme, ele abria caminho entre as minhas coxas, procurando passagem. Punhal em brasa, farpa, lança afiada. Quis gritar, mas as duas mãos se fecharam sobre a minha boca. Ele empurrou, gemendo. Sem querer, imaginei uma lanterna rasgando a escuridão de uma caverna escondida, há muitos anos, uma caverna secreta. Mordeu minha nuca. Com um movimento brusco do corpo, procurei jogá-lo para fora de mim.

— Seu puto — ele gemeu. — Veadinho sujo. Bichinha-louca.

Agarrei o travesseiro com as duas mãos, e num arranco consegui deitar novamente de costas. Minha cara roçou contra a barba dele. Tornei a ouvir a voz de Isadora *que mais me podes dar que mais me tens a dar a marca de uma nova dor.* Molhada, nervosa, a língua voltou a entrar no meu ouvido. As mãos agarraram minha cintura. Comprimiu o corpo inteiro contra o meu. Eu podia sentir os pelos molhados do peito dele melando a minha pele. Quis empurrá-lo outra vez, mas entre o pensamento e o gesto ele juntou-se ainda mais a mim, e depois um gemido mais fundo, e depois um estremecimento no corpo inteiro, e depois um líquido grosso morno viscoso espalhou-se pela minha barriga. Ele soltou o corpo. Como um saco de areia úmida jogado sobre mim.

A madeira amarela do teto, eu vi. O fio comprido, o bico de luz na ponta. Suspenso, apagado. Aquele cheiro adocicado boiando na penumbra cinza do quarto.

Quando ele estendeu a mão para o rolo de papel higiênico, consegui deslizar o corpo pela beirada da cama, e de repente estava no meio do quarto enfiando a roupa, abrindo a porta, olhando para trás ainda a tempo de vê--lo passar um pedaço de papel sobre a própria barriga, uma farda verde em cima da cadeira, ao lado das botas negras brilhantes, e antes que erguesse os olhos afundei no túnel escuro do corredor, a sala deserta com suas flores podres, a voz de Isadora ainda mais remota, *se até o pranto que chorei se foi por ti não sei,* barulho de copos na cozinha, o vidro rachado, a madeira descascada da porta, os quatro degraus de cimento, o portão azul, alguém gritando alguma coisa, mas longe, tão longe como se eu estivesse na janela de um trem em movimento, tentando apanhar um farrapo de voz na plataforma da estação cada vez mais recuada, sem conseguir juntar os sons em palavras, como uma língua estrangeira, como uma língua molhada nervosa entrando rápida pelo mais secreto de mim para acordar alguma coisa que não devia acordar nunca, que não devia abrir os olhos nem sentir cheiros nem gostos nem tatos, uma coisa que deveria permanecer para sempre surda cega muda naquele mais de dentro de mim, como os reflexos escondidos, que nenhum ofuscamento se fizesse outra vez, porque devia ficar enjaulada amordaçada ali no fundo pantanoso de mim, feito bicho numa jaula fedida, entre grades e ferrugens quieta domada fera esquecida da própria ferocidade, para sempre e sempre assim.

Embora eu soubesse que, uma vez desperta, não voltaria a dormir.

Dobrei a esquina, passei na frente do colégio, sentei na praça onde as luzes recém começavam a acender. A bunda nua da estátua de pedra. Zeus, Zeus ou Júpiter, repeti. Enumerei: Palas Atena ou Minerva, Posêidon ou Netuno, Hades ou Plutão, Afrodite ou Vênus, Hermes ou Mercúrio. Hermes, repeti, o mensageiro dos deuses, ladrão e andrógino. Nada doía. Eu não sentia nada. Tocando o pulso com os dedos podia perceber as batidas do coração. O ar entrava e saía, lavando os pulmões. Por cima das árvores do parque ainda era possível ver algumas nuvens avermelhadas, o rosa virando roxo, depois cinza, até o azul mais escuro e o negro da noite. Vai chover amanhã, pensei, vai cair tanta e tanta chuva que será como se a cidade toda tomasse banho. As sarjetas, os bueiros, os esgotos levariam para o rio todo o pó, toda a lama, toda a merda de todas as ruas.

Queria dançar sobre os canteiros, cheio de uma alegria tão maldita que os passantes jamais compreenderiam. Mas não sentia nada. Era assim, então. E ninguém me conhecia.

Subi correndo no primeiro bonde, sem esperar que parasse, sem saber para onde ia. Meu caminho, pensei confuso, meu caminho não cabe nos trilhos de um bonde. Pedi passagem, sentei, estiquei as pernas. Porque ninguém esquece uma mulher como Isadora, repeti sem entender, debruçado na janela aberta, olhando as casas e os verdes do Bonfim. Eu não o conhecia. Eu nunca o tinha visto em toda a minha vida. Uma vez desperta não voltará a dormir.

O bonde guinchou na curva. Amanhã, decidi, amanhã sem falta começo a fumar.

***Morangos Mofados*, 1982**

Aqueles dois

(História de aparente mediocridade e repressão)

I announce adhesiveness, I say it shall be limitless, unloosen'd I say you shall yet find the friend you were looking for.

Walt Whitman
"So long!"

Em memória de Rofran Fernandes

1

A verdade é que não havia mais ninguém em volta. Meses depois, não no começo, quando não havia ainda intimidade para isso, um deles diria que a repartição era como "um deserto de almas". O outro concordou sorrindo, orgulhoso, sabendo-se excluído. E longamente então, entre cervejas, trocaram ácidos comentários sobre as mulheres mal-amadas e vorazes, os papos de futebol, amigo secreto, lista de presente, bookmaker, bicho, endereço de cartomante, clipes no relógio de ponto, vezenquando salgadinhos no fim do expediente, champanhe nacional em copo de plástico. Num deserto de almas também desertas, uma alma especial reconhece de imediato a outra — talvez por isso, quem sabe? Mas nenhum deles se perguntou.

Não chegaram a usar palavras como *especial, diferente* ou qualquer outra assim. Apesar de, sem efusões, terem se reconhecido no primeiro segundo do primeiro minuto. Acontece porém que não tinham preparo algum para dar nome às emoções, nem mesmo para tentar entendê-las. Não que fossem muito jovens, incultos demais ou mesmo um pouco burros. Raul tinha um ano mais que trinta; Saul, um a menos. Mas as diferenças entre eles não se limitavam a esse tempo, a essas letras. Raul vinha de um casamento fracassado, três anos e nenhum filho. Saul, de um noivado tão interminável que terminara um dia, e um curso frustrado de arquitetura. Talvez por isso, desenhava. Só rostos, com enormes olhos sem íris nem pupilas. Raul ouvia música e, às vezes, de porre, pegava o violão e cantava, principalmente velhos boleros em espanhol. E cinema, os dois gostavam.

Passaram no mesmo concurso para a mesma firma, mas não se encontraram durante os exames. Foram apresentados no primeiro dia de trabalho de cada um. Disseram prazer, Raul, prazer, Saul, depois como é mesmo o seu nome? sorrindo divertidos da coincidência. Mas discretos, porque eram novos na firma e a gente, afinal, nunca sabe onde está pisando. Tentaram afastar-se quase imediatamente, deliberando limitarem-se a um cotidiano oi, tudo bem ou no máximo, às sextas, um cordial bom-fim-de--semana-então. Mas desde o princípio alguma coisa — fados, astros, sinas, quem saberá? — conspirava contra (ou a favor, por que não?) aqueles dois.

Suas mesas ficavam lado a lado. Nove horas diárias, com intervalo de uma para o almoço. E perdidos no meio daquilo que Raul (ou teria sido Saul?) meses depois chamaria de "um deserto de almas", para não sentirem tanto frio, tanta sede, ou simplesmente por serem humanos, sem querer justificá-los — ou, ao contrário, justificando-os plena e profundamente, enfim: que mais restava àqueles dois senão, pouco a pouco, se aproximarem, se conhecerem, se misturarem? Pois foi o que aconteceu. Mas tão lentamente que eles mesmos mal perceberam.

2

Eram dois moços sozinhos. Raul viera do Norte, Saul do Sul. Naquela cidade todos vinham do Norte, do Sul, do Centro, do Leste — e com isso quero dizer que esse detalhe não os tornaria especialmente diferentes. Mas no deserto em volta, todos os outros tinham referenciais — uma mulher, um tio, uma mãe, um amante. Eles não tinham ninguém naquela cidade — de certa forma, também em nenhuma outra — a não ser a si próprios. Poderia dizer também que não tinham nada, mas não seria inteiramente verdadeiro.

Além do violão, Raul tinha um telefone alugado, um toca-discos com rádio e um sabiá na gaiola, chamado Carlos Gardel. Saul, uma televisão colorida com imagem fantasma, cadernos de desenho, vidros de tinta nanquim e um livro com reproduções de Van Gogh. Na parede do quarto, uma outra reprodução também de Van Gogh: aquele quarto com a cadeira de palhinha parecendo torta, a cama estreita, as tábuas manchadas do assoalho. Deitado, Saul tinha às vezes a impressão de que o quadro era um espelho refletindo quase fotograficamente o próprio quarto, ausente apenas ele mesmo. Quase sempre, era nessas ocasiões que desenhava.

Eram dois moços bonitos, todos achavam. As mulheres da repartição, casadas, solteiras, ficaram nervosas quando eles surgiram, tão altos e altivos, comentou de olhos arregalados uma secretária. Ao contrário dos outros homens, alguns até mais jovens, nenhum deles tinha barriga ou aquela postura desalentada de quem carimba ou datilografa papéis oito horas por dia.

Moreno de barba forte azulando o rosto, Raul era um pouco mais definido, com sua voz de baixo profundo, tão adequada aos boleros amargos que gostava de cantar. Tinham a mesma altura, o mesmo porte, mas Saul parecia um pouco menor e mais frágil, talvez pelos cabelos claros, cheios de caracóis miúdos, olhos assustadiços, azul desmaiado. Eram bonitos juntos, diziam as moças, um doce de olhar. Sem terem exatamente consciência disso, quando juntos os dois aprumavam ainda mais o porte e, por assim dizer, quase cintilavam, o bonito de dentro de um estimulando o bonito de fora do outro e vice-versa. Como se houvesse, entre aqueles dois, uma estranha e secreta harmonia.

3

Cruzavam-se silenciosos, mas cordiais, junto à garrafa térmica do cafezinho, comentando o tempo ou a chatice do trabalho, depois voltavam às suas mesas. Muito de vez em quando um pedia fogo ou um cigarro ao outro, e quase sempre trocavam frases como tanta vontade de parar, mas nunca tentei, ou já tentei tanto, agora desisti. Durou tempo, aquilo. E teria durado muito mais, porque serem assim fechados, quase remotos, era um jeito que traziam de longe. Do Norte, do Sul, de dentro talvez.

Até um dia em que Saul chegou atrasado e respondendo a um vago que-que-houve contou que tinha ficado até tarde assistindo a um velho filme na televisão. Por educação, ou cumprindo um ritual, ou apenas para que o outro não se sentisse mal chegando quase às 11, apressado, barba por fazer, Raul deteve os dedos sobre o teclado da máquina e perguntou: que filme? *Infâmia.*[1] Saul contou baixo, Audrey Hepburn, Shirley MacLaine, um filme muito antigo, ninguém conhece. Raul olhou-o devagar, e mais atento, como ninguém conhece? eu conheço e gosto muito, não é aquela história das duas professoras que. Abalado, convidou Saul para um café, e no que restava daquela manhã muito fria de junho, o prédio feio mais do que nunca parecendo uma prisão ou clínica psiquiátrica, falaram sem parar sobre o filme.

Outros filmes viriam nos dias seguintes, e tão naturalmente como se alguma forma fosse inevitável, também vieram histórias pessoais, passados, alguns sonhos, pequenas esperanças e sobretudo queixas. Daquela firma, daquela vida, daquele nó, confessaram uma tarde cinza de sexta, apertado no fundo do peito. Durante aquele fim de semana obscuramente desejaram, pela primeira vez, um em sua quitinete, outro no quarto de pensão, que o sábado e o domingo caminhassem depressa para dobrar a curva da meia-noite e novamente desaguar na manhã de segunda-feira, quando outra vez se encontrariam para: um café. Assim foi, e contaram um que tinha bebido além da conta, outro que dormira quase o tempo todo. De muitas

---

[1] *The children's hour,* de William Wyler. Adaptação da peça de Lilian Hellmann.

coisas falaram aqueles dois nessa manhã, menos da falta um do outro que sequer sabiam claramente ter sentido.

Atentas, as moças em volta providenciavam esticadas aos bares depois do expediente, gafieiras, discotecas, festinhas na casa de uma, na casa de outra. A princípio esquivos, acabaram cedendo, mas quase sempre enfiavam-se pelos cantos e sacadas para trocar suas histórias intermináveis. Uma noite, Raul pegou o violão e cantou "Tú me acostumbraste". Nessa mesma festa, Saul bebeu demais e vomitou no banheiro. No caminho até os táxis separados, Raul falou pela primeira vez no casamento desfeito. Passo incerto, Saul contou do noivado antigo. E concordaram, bêbados, que estavam ambos cansados de todas as mulheres do mundo, suas tramas complicadas, suas exigências mesquinhas. Que gostavam de estar assim, agora, sós, donos de suas próprias vidas. Embora, isso não disseram, não soubessem o que fazer com elas.

Dia seguinte, de ressaca, Saul não foi trabalhar nem telefonou. Inquieto, Raul vagou o dia inteiro pelos corredores subitamente desertos, gelados, cantando baixinho "Tu me acostumbraste", entre inúmeros cafés e meio maço de cigarros a mais que o habitual.

4

Os fins de semana foram se tornando tão longos que um dia, no meio de um papo qualquer, Raul deu a Saul o número de seu telefone, alguma coisa que você precisar, se ficar doente, a gente nunca sabe. Domingo depois do almoço, Saul ligou só para saber o que o outro estava fazendo, e visitou-o, e jantaram juntos a comidinha mineira que a empregada deixara pronta no sábado. Foi dessa vez que, ácidos e unidos, falaram no tal deserto, nas tais almas.

Há quase seis meses se conheciam. Saul deu-se bem com Carlos Gardel, que ensaiou um canto tímido ao cair da noite. Mas quem cantou foi Raul: "Perfidia", "La barca", "Contigo en la distancia" e, a pedido de Saul, outra vez, duas vezes, "Tú me acostumbraste". Saul gostava principalmente daquele pedacinho assim *sutil llegaste a mí como una tentación llenando de inquietud mi corazón*. Jogaram algumas partidas de buraco e, por volta das nove, Saul se foi.

Na segunda-feira não trocaram uma palavra sobre o dia anterior. Mas falaram mais que nunca, e muitas vezes foram ao café. As moças em volta espiavam, às vezes cochichavam sem que eles percebessem. Nessa semana, pela primeira vez almoçaram juntos na pensão de Saul, que quis subir ao quarto para mostrar os desenhos, visitas proibidas à noite, mas faltavam cinco para as duas e o relógio de ponto era implacável. Pouco tempo depois, com o pretexto de assistir a *Vagas estrelas da Ursa* na televisão de Saul, Raul entrou escondido na pensão, uma garrafa de conhaque no bolso interno do paletó. Sentados no chão, costas apoiadas na cama estreita, quase não prestaram atenção no filme. Não paravam de falar. Cantarolando "Io che non vivo", Raul viu os desenhos, olhando longamente a reprodução de Van Gogh, depois perguntou como Saul conseguia viver naquele quartinho tão pequeno. Parecia sinceramente preocupado. Não é triste? perguntou. Você não se sente só? Saul sorriu forte: a gente acostuma.

Aos domingos, agora, Saul sempre telefonava. E vinha. Almoçavam ou jantavam, bebiam, fumavam, jogavam cartas, falavam o tempo todo. Enquanto Raul cantava — vezenquando "El día que me quieras", vezenquando "Noche de ronda" —, Saul fazia carinhos lentos na cabecinha de Carlos Gardel pousado no seu dedo indicador. Às vezes olhavam-se. E sempre sorriam. Uma noite, porque chovia, Saul acabou dormindo no sofá. Dia seguinte, chegaram juntos à repartição, cabelos molhados do chuveiro. Nesse dia as moças não falaram com eles. Os funcionários barrigudos e desalentados trocaram alguns olhares que os dois não saberiam compreender, se percebessem. Mas nada perceberam, nem os olhares nem duas ou três piadas enigmáticas. Quando faltavam dez para as seis saíram juntos, altos e altivos, para assistir ao último filme de Jane Fonda.

5

Quando começava a primavera, Saul fez aniversário. Porque achava seu amigo muito solitário ou por outra razão assim, Raul deu a ele a gaiola com Carlos Gardel. No começo do verão, foi a vez de Raul fazer aniversário. E porque estava sem dinheiro, porque seu amigo não tinha nada nas paredes da quitinete, Saul deu a ele a reprodução de Van Gogh. Mas entre esses dois aniversários, aconteceu alguma coisa.

No Norte, quando começava dezembro, a mãe de Raul morreu e ele precisou passar uma semana fora. Desorientado, Saul vagava pelos corredores da firma esperando um telefonema que não vinha, tentando em vão concentrar-se nos despachos, processos, protocolos. À noite, em seu quarto, ligava a televisão gastando tempo em novelas vadias ou desenhando olhos cada vez mais enormes, enquanto acariciava Carlos Gardel. Bebeu bastante nessa semana. E teve um sonho: caminhava entre as pessoas da repartição, todas de preto, acusadoras. À exceção de Raul, todo de branco, abrindo os braços para ele. Abraçados fortemente, e tão próximos que um podia sentir o cheiro do outro. Acordou pensando estranho, ele é que devia estar de luto.

Raul voltou sem luto. Numa sexta-feira de tardezinha, telefonou para a repartição pedindo a Saul que fosse vê-lo. A voz de baixo profundo parecia ainda mais baixa e mais profunda. Saul foi. Raul tinha deixado a barba crescer. Estranhamente, em vez de parecer mais velho ou mais sério, tinha um rosto quase de menino. Beberam muito nessa noite. Raul falou longamente da mãe — eu podia ter sido mais legal com ela, coitada, disse, e não cantou. Quando Saul estava indo embora, começou a chorar. Sem saber ao certo o que fazia, Saul estendeu a mão, e quando percebeu seus dedos tinham tocado a barba crescida de Raul. Sem tempo para compreenderem, abraçaram-se fortemente. E tão próximos ficaram que um podia sentir o cheiro do outro: o de Raul, flor murcha, gaveta fechada; o de Saul, colônia de barba, talco. Durou muito tempo. A mão de Saul tocava a barba de Raul, que passava os dedos pelos caracóis miúdos do cabelo do outro. Não diziam nada. No silêncio era possível ouvir uma torneira pingando longe. Tanto tempo durou aquilo que, quando Saul levou a mão ao cinzeiro, o cigarro era apenas uma longa cinza que ele esmagou sem compreender.

Afastaram-se, então. Raul disse qualquer coisa como eu não tenho mais ninguém no mundo, e Saul outra coisa como você tem a mim agora, e para sempre. Usavam palavras grandes — ninguém, mundo, sempre — e apertavam-se as duas mãos ao mesmo tempo, olhando-se nos olhos injetados de fumo e choro e álcool. Embora fosse sexta e não precisassem ir à repartição na manhã seguinte, Saul despediu-se. Caminhou durante horas pelas ruas desertas, cheias apenas de gatos e putas. Em casa, acariciou Carlos Gardel até que os dois dormissem. Mas um pouco antes, sem saber por quê, começou a chorar sentindo-se só e pobre e feio e infeliz e confuso e abandonado e bêbado e triste, triste, triste. Pensou em ligar para Raul, mas não tinha fichas e era muito tarde.

6

Depois chegou o Natal, o Ano-novo que passaram juntos, recusando convites dos colegas de repartição. Raul deu a Saul uma reprodução do *Nascimento de Vênus,* de Botticelli, que ele colocou na parede exatamente onde estivera o quadro de Van Gogh. Saul deu a Raul um disco chamado *Os grandes sucessos de Dalva de Oliveira.* A faixa que mais ouviram foi "Nossas vidas", prestando atenção naquele trechinho que dizia "até nossos beijos parecem beijos de quem nunca amou".

Foi na noite de 31, aberto o champanhe na quitinete de Raul, que Saul ergueu a taça e brindou à nossa amizade que nunca vai terminar. Beberam até quase cair. Na hora de deitar, trocando a roupa no banheiro, muito bêbado, Saul falou que ia dormir nu. Raul olhou para ele e disse você tem um corpo bonito. Você também, disse Saul, e baixou os olhos. Deitaram ambos nus, um na cama atrás do guarda-roupa, outro no sofá. Quase a noite inteira, um podia ver a brasa acesa do cigarro do outro, furando o escuro feito um demônio de olhos incendiados. Pela manhã Saul foi embora sem se despedir, para que Raul não percebesse suas fundas olheiras.

Quando janeiro começou, quase na época de tirarem férias — e tinham planejado juntos quem sabe Paraty, Ouro Preto, Porto Seguro —, ficaram surpresos naquela manhã em que o chefe de seção os chamou, perto do meio-dia. Fazia muito calor. Suarento, o chefe foi direto ao assunto: tinha recebido algumas cartas anônimas. Recusou-se a mostrá-las. Pálidos, os dois ouviram expressões como "relação anormal e ostensiva", "desavergonhada aberração", "comportamento doentio", "psicologia deformada", sempre assinadas por Um Atento Guardião da Moral. Saul baixou os olhos desmaiados, mas Raul levantou de um salto. Parecia muito alto quando, com uma das mãos apoiadas no ombro do amigo e a outra erguendo-se atrevida no ar, conseguiu ainda dizer a palavra nunca, antes que o chefe, depois de coisas como a-reputação-de-nossa-firma ou tenho-que-zelar-pela-moral-dos-meus-funcionários, declarasse frio: os senhores estão despedidos.

Esvaziaram lentamente cada um a sua gaveta, a sala vazia na hora do almoço, sem se olharem nos olhos. O sol de verão escaldava o tampo de metal das mesas. Raul guardou no grande envelope pardo um par de enormes olhos sem íris nem pupilas, presente de Saul, que guardou no seu grande envelope pardo a letra de "Tu me acostumbraste", escrita por Raul numa tarde qualquer de agosto e com algumas manchas de café. Desceram juntos pelo elevador, em silêncio.

Mas quando saíram pela porta daquele prédio grande e antigo, parecido com uma clínica psiquiátrica ou uma penitenciária, vistos de cima pelos colegas todos nas janelas, a camisa branca de um e a azul do outro, estavam ainda mais altos e mais altivos. Demoraram alguns minutos na frente do edifício. Depois apanharam o mesmo táxi, Raul abrindo a porta para que Saul entrasse. *Ai-ai!* alguém gritou da janela. Mas eles não ouviram. O táxi já tinha dobrado a esquina.

Pelas tardes poeirentas daquele resto de janeiro, quando o sol parecia a gema de um enorme ovo frito no azul sem nuvens do céu, ninguém mais conseguiu trabalhar em paz na repartição. Quase todos ali dentro tinham a nítida sensação de que seriam infelizes para sempre. E foram.

***Morangos Mofados*, 1982**

Linda, uma história horrível

Você nunca ouviu falar em maldição
nunca viu um milagre
nunca chorou sozinha num banheiro sujo
nem nunca quis ver a face de Deus.

Cazuza: "Só as mães são felizes"

Para Sergio Keuchguerian

Só depois de apertar muitas vezes a campainha foi que escutou o rumor de passos descendo a escada. E reviu o tapete gasto, antigamente púrpura, depois apenas vermelho, mais tarde rosa cada vez mais claro — agora, que cor? —, e ouviu o latido desafinado de um cão, uma tosse noturna, ruídos secos, então sentiu a luz acesa do interior da casa filtrada pelo vidro cair sobre sua cara de barba por fazer, três dias. Meteu as mãos nos bolsos, procurou um cigarro ou um chaveiro para rodar entre os dedos, antes que se abrisse a janelinha no alto da porta.

Enquadrado pelo retângulo, o rosto dela apertava os olhos para vê-lo melhor. Mediram-se um pouco assim — de fora, de dentro da casa —, até ela afastar o rosto, sem nenhuma surpresa. Estava mais velha, viu ao entrar. E mais amarga, percebeu depois.

— Tu não avisou que vinha — ela resmungou no seu velho jeito azedo, que antigamente ele não compreendia. Mas agora, tantos anos depois, aprendera a traduzir como que-saudade, seja-bem-vindo, que-bom-ver-você ou qualquer coisa assim. Mais carinhosa, embora inábil.

Abraçou-a, desajeitado. Não era um hábito, contatos, afagos. Afundou tonto, rápido, naquele cheiro conhecido — cigarro, cebola, cachorro, sabonete, creme de beleza e carne velha, sozinha há anos. Segurando-o pelas duas orelhas, como de costume, ela o beijou na testa. Depois foi puxando-o pela mão, para dentro.

— A senhora não tem telefone — explicou. — Resolvi fazer uma surpresa.

Acendendo luzes, certa ânsia, ela o puxava cada vez mais para dentro. Mal podia rever a escada, a estante, a cristaleira, os porta-retratos empoeirados. A cadela se enrolou nas pernas dele, ganindo baixinho.

— Sai, Linda — ela gritou, ameaçando um pontapé. A cadela pulou de lado, ela riu. — Só ameaço, ela respeita. Coitada, quase cega. Uma inútil, sarnenta. Só sabe dormir, comer e cagar, esperando a morte.

— Que idade ela tem? — ele perguntou. Que esse era o melhor jeito de chegar ao fundo: pelos caminhos transversos, pelas perguntas banais. Por trás do jeito azedo, das flores roxas do robe.

— Sei lá, uns 15. — A voz tão rouca. — Dizque idade de cachorro a gente multiplica por sete.

Ele forçou um pouco a cabeça, esse era o jeito:

— Uns 95, então.

Ela colocou a mala dele em cima de uma cadeira da sala. Depois apertou novamente os olhos. E espiou em volta, como se acabasse de acordar:

— O quê?

— A Linda. Se fosse gente, estaria com 95 anos.

Ela riu:

— Mais velha que eu, imagina. Velha que dá medo. — Fechou o robe sobre o peito, apertou a gola com as mãos. Cheias de manchas escuras, ele viu, como sardas (*ce-ra-to-se*, repetiu mentalmente), pintura alguma nas unhas rentes dos dedos amarelos de cigarros. — Quer um café?

— Se não der trabalho — ele sabia que esse continuava sendo o jeito exato, enquanto ela adentrava soberana a cozinha, seu reino. Mãos nos bolsos, olhou em volta, encostado na porta.

As costas dela, tão curvas. Parecia mais lenta, embora guardasse o mesmo jeito antigo de abrir e fechar sem parar as portas dos armários, dispor xícaras, colheres, guardanapos, fazendo muito ruído e forçando-o a sentar — enquanto ele via. Manchadas de gordura, as paredes da cozinha. A pequena janela basculante, vidro quebrado. No furo do vidro, ela colocara uma folha de jornal. *País mergulha no caos, na doença e na miséria* — ele leu. E sentou na cadeira de plástico rasgado.

— Tá fresquinho — ela serviu o café. — Agora só consigo dormir depois de tomar café.

— A senhora não devia. Café tira o sono.

Ela sacudiu os ombros:

— Dane-se. Comigo sempre foi tudo ao contrário.

A xícara amarela tinha uma nódoa escura no fundo, bordas lascadas. Ele mexeu o café, sem vontade. De repente, então, enquanto nem ele nem ela diziam nada, quis fugir. Como se volta a fita num videocassete, de costas, apanhar a mala, atravessar a sala, o corredor de entrada, ultrapassar o caminho de pedras do jardim, sair novamente para a ruazinha de casas quase todas brancas. Até algum táxi, o aeroporto, para outra cidade, longe do Passo da Guanxuma, até a outra vida de onde vinha. Anônima, sem laços nem passado. Para sempre, para nunca mais. Até a morte de qualquer um dos dois, teve medo. E desejou. Alívio, vergonha.

— Vá dormir — pediu. — É muito tarde. Eu não devia ter vindo assim, sem avisar. Mas a senhora não tem telefone.

Ela sentou à frente dele, o robe abriu-se. Por entre as flores roxas, ele viu as inúmeras linhas da pele, papel de seda amassado. Ela apertou os olhos, espiando a cara dele enquanto tomava um gole de café.

— Que que foi? — perguntou, lenta. E esse era o tom que indicava a abertura para um novo jeito. Mas ele tossiu, baixou os olhos para a estamparia de losangos da toalha. Vermelho, verde. Plástico frio, velhos morangos.

— Nada, mãe. Não foi nada. Deu saudade, só isso. De repente, me deu tanta saudade. Da senhora, de tudo.

Ela tirou um maço de cigarros do bolso do robe:

— Me dá o fogo.

Estendeu o isqueiro. Ela tocou na mão dele, toque áspero das mãos manchadas de ceratose nas mãos muito brancas dele. Carícia torta:

— Bonito, o isqueiro.

— É francês.

— Que é isso que tem dentro?

— Sei lá, fluido. Essa coisa que os isqueiros têm. Só que este é transparente, nos outros a gente não vê.

Ela ergueu o isqueiro contra a luz. Reflexos de ouro, o líquido verde brilhou. A cadela entrou por baixo da mesa, ganindo baixinho. Ela pareceu não notar, encantada com o por trás do verde, líquido dourado.

— Parece o mar — sorriu. Bateu o cigarro na borda da xícara, estendeu o isqueiro de volta para ele. — Então quer dizer que o senhor veio me visitar? Muito bem.

Ele fechou o isqueiro na palma da mão. Quente da mão manchada dela.

—Vim, mãe. Deu saudade.

Riso rouco:

— Saudade? Sabe que a Elzinha não aparece aqui faz mais de mês? Eu podia morrer aqui dentro. Sozinha. Deus me livre. Ela nem ia ficar sabendo, só se fosse pelo jornal. Se desse no jornal. Quem se importa com um caco velho?

Ele acendeu um cigarro. Tossiu forte na primeira tragada:

— Também moro só, mãe. Se morresse, ninguém ia ficar sabendo. E não ia dar no jornal.

Ela tragou fundo. Soltou a fumaça, círculos. Mas não acompanhou com os olhos. Na ponta da unha, tirava uma lasca da borda da xícara.

— É sina — disse. — Tua avó morreu só. Teu avô morreu só. Teu pai morreu só, lembra? Naquele fim de semana que eu fui pra praia. Ele tinha horror do mar. Uma coisa tão grande que mete medo na gente, ele dizia. — Jogou longe a bolinha com a pintura da xícara. — E nem um neto, morreu sem um neto nem nada. O que mais ele queria.

— Já faz tempo, mãe. Esquece — ele endireitou as costas, doíam. Não, decidiu: naquele poço, não. O cheiro, uma semana, vizinhos telefonando. Passou as pontas dos dedos pelos losangos desbotados da toalha. — Não sei como a senhora consegue continuar morando aqui sozinha. Esta casa é grande demais pra uma pessoa só. Por que não vai morar com a Elzinha?

Ela fingiu cuspir de lado, meio cínica. Aquele cinismo de telenovela não combinava com o robe desbotado de flores roxas, cabelos quase inteiramente brancos, mãos de manchas marrons segurando o cigarro quase no fim.

— E aguentar o Pedro, com aquela mania de grandeza? Pelo amor de Deus, só se eu fosse, sei lá. Iam ter que me esconder no dia das visitas, Deus me livre. A velha, a louca, a bruxa. A megera socada no quartinho de empregada, feito uma negra. — Bateu o cigarro. — E como se não bastasse, tu acha que iam me deixar levar a Linda junto?

Embaixo da mesa, ao ouvir o próprio nome, a cadela ganiu mais forte.

— Também não é assim, não é, mãe? A Elzinha tem a faculdade. E o Pedro no fundo é boa gente. Só que.

Ela remexeu nos bolsos do robe. Tirou uns óculos de hastes remendadas com esparadrapo, lente rachada.

— Deixa eu te ver melhor — pediu.

Ajeitou os óculos. Ele baixou os olhos. No silêncio, ficou ouvindo o tique-taque do relógio da sala. Uma barata miúda riscou o branco dos azulejos atrás dela.

— Tu está mais magro — ela observou. Parecia preocupada. — Muito mais magro.

— É o cabelo — ele disse. Passou a mão pela cabeça quase raspada. — E a barba, três dias.

— Perdeu cabelo, meu filho.

— É a idade. Quase quarenta anos. — Apagou o cigarro. Tossiu.

— E essa tosse de cachorro?

— Cigarro, mãe. Poluição.

Levantou os olhos, pela primeira vez olhou direto nos olhos dela. Ela também olhava direto nos olhos dele. Verde desmaiado por trás das lentes dos óculos, subitamente muito atentos. Ele pensou: *é agora, nesta contramão.*[1] Quase falou. Mas ela piscou primeiro. Desviou os olhos para baixo da mesa, segurou com cuidado a cadela sarnenta e a trouxe até o colo.

— Mas vai tudo bem?

— Tudo, mãe.

— Trabalho?

Ele fez que sim. Ela acariciou as orelhas sem pelo da cadela. Depois olhou outra vez direto para ele:

— Saúde? Dizque tem umas doenças novas aí, vi na tevê. Umas pestes.

— Graças a Deus — ele cortou. Acendeu outro cigarro, as mãos tremiam um pouco. — E a dona Alzira, firme?

A ponta apagada do cigarro entre os dedos amarelos, ela estava recostada na cadeira. Olhos apertados, como se visse por trás dele. No tempo, não no espaço. A cadela apoiara a cabeça na mesa, os olhos branquicentos fechados. Ela suspirou, sacudiu os ombros:

— Coitada. Mais esclerosada do que eu.

— A senhora não está esclerosada.

— Tu que pensa. Tem vezes que me pego falando sozinha pelos cantos. Outro dia, sabe quem eu chamava o dia inteiro? — Esperou um pouco, ele não disse nada. — A Cândida, lembra dela? Ô negrinha boa, aquela. Até parecia branca. Fiquei chamando, chamando o dia inteiro. Cândida, ô Cândida. Onde é que tu te meteu, criatura? Aí me dei conta.

— A Cândida morreu, mãe.

---

[1] Ana Cristina César: *A teus pés.*

Ela tornou a passar a mão pela cabeça da cadela. Mais devagar, agora. Fechou os olhos, como se as duas dormissem.

— Pois é, esfaqueada. Que nem um porco, lembra? — Abriu os olhos. — Quer comer alguma coisa, meu filho?

— Comi no avião.

Ela fingiu cuspir de lado, outra vez.

— Cruz-credo. Comida congelada, Deus me livre. Parece plástico. Lembra daquela vez que eu fui? — Ele sacudiu a cabeça, ela não notou. Olhava para cima, para a fumaça do cigarro perdida contra o teto manchado de umidade, de mofo, de tempo, de solidão. — Fui toda chique, parecia uma granfa. De avião e tudo, uma madame. Frasqueira, raiban. Contando, ninguém acredita. — Molhou um pedaço de pão no café frio, colocou-o na boca quase sem dentes da cadela. Ela engoliu de um golpe. — Sabe que eu gostei mais do avião do que da cidade? Coisa de louco, aquela barulheira. Nem parece coisa de gente, como é que tu aguenta?

— A gente acostuma, mãe. Acaba gostando.

— E o Beto? — ela perguntou de repente. E foi baixando os olhos até encaixarem, outra vez, direto nos olhos dele.

Se eu me debruçasse? — ele pensou. Se, então, assim. Mas olhou para os azulejos na parede atrás dela. A barata tinha desaparecido.

— Tá lá, mãe. Vivendo a vida dele.

Ela voltou a olhar o teto:

— Tão atencioso, o Beto. Me levou pra jantar, abriu a porta do carro pra mim. Parecia coisa de cinema. Puxou a cadeira do restaurante pra mim sentar. Nunca ninguém tinha feito isso. — Apertou os olhos. — Como era mesmo o nome do restaurante? Um nome de gringo.

— *Casserole*, mãe. *La Casserole*. — Quase sorriu, ele tinha uns olhos de menino, lembrou. — Foi boa aquela noite, não foi?

— Foi — ela concordou. — Tão boa, parecia filme. — Estendeu a mão por sobre a mesa, quase tocou na mão dele. Ele abriu os dedos, certa ânsia. Saudade, saudade. Então ela recuou, afundou os dedos na cabeça pelada da cadela.

— O Beto gostou da senhora. Gostou tanto — ele fechou os dedos. Assim fechados, passou-os pelos pelos do próprio braço. Umas memórias, distância. — Ele disse que a senhora era muito chique.

— Chique, eu? Uma velha grossa, esclerosada. — Ela riu, vaidosa, mão manchada no cabelo branco. Suspirou. — Tão bonito. Um moço tão fino, aquilo é que é moço fino. Eu falei pra Elzinha, bem na cara do Pedro. Pra ele tomar como indireta mesmo, eu disse bem alto, bem assim. Quem não tem berço a gente vê logo na cara. Não adianta ostentar, tá escrito. Que nem o Beto, aquela calça rasgadinha. Quem ia dizer que era um moço assim tão fino, de tênis? — Voltou a olhar dentro dos olhos dele. — Isso é que é amigo, meu filho. Até meio parecido contigo, eu fiquei pensando. Parecem irmãos. Mesma altura, mesmo jeito, mesmo.

— A gente não se vê faz algum tempo, mãe.

Ela debruçou um pouco, apertando a cabeça da cadela contra a mesa. Linda abriu os olhos esbranquiçados. Embora cega, também parecia olhar para ele. Ficaram se olhando assim. Um tempo quase insuportável, entre a fumaça dos cigarros, cinzeiros cheios, xícaras vazias — os três, ele, a mãe e Linda.

— E por quê?

— Mãe — ele começou. A voz tremia. — Mãe, é tão difícil — repetiu. E não disse mais nada.

Foi então que ela levantou. De repente, jogando a cadela ao chão como um pano sujo. Começou a recolher xícaras, colheres, cinzeiros, jogando tudo dentro da pia. Depois de amontoar a louça, derramar o detergente e abrir as torneiras, andando de um lado para outro enquanto ele ficava ali sentado, olhando para ela, tão curva, um pouco mais velha, cabelos quase inteiramente brancos, voz ainda mais rouca, dedos cada vez mais amarelados pelo fumo, guardou os óculos no bolso do robe, fechou a gola, olhou para ele e — como quem quer mudar de assunto, e esse também era um sinal para um outro jeito que, desta vez sim, seria o certo — disse:

— Teu quarto continua igual, lá em cima. Vou dormir que amanhã cedo tem feira. Tem lençol limpo no armário do banheiro.

Então fez uma coisa que não faria, antigamente. Segurou-o pelas duas orelhas para beijá-lo não na testa, mas nas duas faces. Quase demorada. Aquele cheiro — cigarro, cebola, cachorro, sabonete, cansaço, velhice. Mais qualquer coisa úmida que parecia piedade, fadiga de ver. Ou amor. Uma espécie de amor.

— Amanhã a gente fala melhor, mãe. Tem tempo, dorme bem.

Debruçado na mesa, acendeu mais um cigarro enquanto ouvia os passos dela subindo pesados pela escada até o andar superior. Quando ouviu a porta do quarto bater, levantou e saiu da cozinha.

Deu alguns passos tontos pela sala. A mesa enorme, madeira escura. Oito lugares, todos vazios. Parou em frente ao retrato do avô — rosto levemente inclinado, olhos verdes aguados que eram os mesmos da mãe e também os dele, heranças. No meio do campo, pensou, morreu só com um revólver e sua sina. Levou a mão até o bolso interno do casaco, tirou a pequena garrafa estrangeira e bebeu. Quando a afastou, gotas de uísque rolaram pelos cantos da boca, pescoço, camisa, até o chão. A cadela lambeu o tapete gasto, olhos quase cegos, língua tateando para encontrar o líquido.

Ele abriu os olhos. Como depois de uma vertigem, percebeu-se a olhar fixamente para o grande espelho da sala. No fundo do espelho na parede da sala de uma casa antiga, numa cidade provinciana, localizou a sombra de um homem magro demais, cabelos quase raspados, olhos assustados feito os de uma criança. Colocou a garrafa sobre a mesa, tirou o casaco.

Suava muito. Jogou o casaco na guarda de uma cadeira. E começou a desabotoar a camisa manchada de suor e uísque.

Um por um, foi abrindo os botões. Acendeu a luz do abajur, para que a sala ficasse mais clara quando, sem camisa, começou a acariciar as manchas púrpura, da cor antiga do tapete na escada — agora, que cor? —, espalhadas embaixo dos pelos do peito. Na ponta dos dedos, tocou o pescoço. Do lado direito, inclinando a cabeça, como se apalpasse uma semente no escuro. Depois foi dobrando os joelhos até o chão. Deus, pensou, antes de estender a outra mão para tocar no pelo da cadela quase cega, cheio de manchas rosadas. Iguais às do tapete gasto da escada, iguais às da pele do seu peito, embaixo dos pelos. Crespos, escuros, macios.

— Linda — sussurrou. — Linda, você é tão linda, Linda.

***Os dragões não conhecem o paraíso*, 1988**

Os sapatinhos vermelhos

— Dançarás — disse o anjo. — Dançarás com teus sapatos vermelhos... Dançarás de porta em porta... Dançarás, dançarás sempre.

Andersen: "Os sapatinhos vermelhos"

Para Silvia Simas

1

Tinha terminado, então. Porque a gente, alguma coisa dentro da gente, sempre sabe exatamente quando termina — ela repetiu olhando-se bem nos olhos, em frente ao espelho. Ou quando começa: certo susto na boca do estômago. Como o carrinho da montanha-russa, naquele momento lá no alto, justo antes de despencar em direção. Em direção a quê? Depois de subidas e descidas, em direção àquele insuportável ponto seco de agora.

Restava acender outro cigarro, e foi o que fez. No momento de dar a primeira tragada, apoiou a face nas mãos e, sem querer, esticou a pele sob o olho direito. Melhor assim, muito melhor. Sem aquele ar desabado de cansaço indisfarçável de mulher sozinha com quase quarenta anos, mastigou sem pausa nem piedade. Com os dedos da mão esquerda, esticou também a pele debaixo do outro olho. Não, nem tanto, que assim parecia uma japonesa. Uma japa, uma gueixa, isso é que fui. A putinha submissa a coreografar jantares à luz de velas — Glenn Miller ou Charles Aznavour? —, vertendo trêfega os sais — camomila ou alfazema? — na água da banheira, preparando uísques — uma ou duas pedras hoje, meu bem?

Nenhuma pedra, decidiu. E virou a garrafa outra vez no copo. Aprendera com ele, nem gostava antes. Tempo perdido, pura perda de tempo. E não me venha dizer mas teve bons momentos, não teve não? A cabeça dele abandonada em seus joelhos, você deslizando devagar os dedos entre os cabelos daquele homem. Pudesse ver seu próprio rosto: nesses momentos você ganhava luz e sorria sem sorrir, olhos fechados, toda plena. Isso não valeu, Adelina?

Bebeu outro gole, um pouco sôfrega. Precisava apressar-se, antes que a quinta virasse Sexta-Feira Santa e os pecados começassem a pulular na memória feito macacos engaiolados: não beba, não cante, não fale nome feio, não use vermelho, o diabo está solto, leva sua alma para o inferno. Ela já está lá, no meio das chamas, pobre alminha, nem dez da noite, só filmes sacros na tevê, mantos sagrados, aquelas coisas, Sexta-Feira da Paixão e nem sexo, nem ao menos sexo, isso de meter, morder, gemer, gozar, dormir. Aquela coisa frouxa, aquela coisa gorda, aquela coisa sob lençóis, aquela coisa no escuro, roçar molhado de pelos, baba e gemidos depois de — quantos mesmo? — cinco, cinco anos. Cinco anos são alguma coisa quando se tem quase quarenta, e nem apartamento próprio, nem marido, filhos, herança: nada. Ponto seco, ponto morto.

Ué, você não *escolheu*? Ele ficou então parado à frente dela, muito digno e tão comportadamente um-senhor-de-família-da-Vila-Mariana dentro do terno suavemente cinza, gravata pouco mais clara, no tom exato das meias, sapatos ligeiramente mais escuros. Absolutamente controlado. Nem um fio de cabelo fora do lugar enquanto repetia pausado, didático, convincente — mas Adelina, você sabe tão bem quanto eu, talvez até melhor, a que ponto de desgaste nosso relacionamento chegou. Devia falar desse jeito mesmo com os alunos, impossível que você não perceba como é doloroso para mim mesmo encarar este rompimento. Afinal, a afeição que nutro por você é um fato.

Teria mesmo chegado ao ponto de dizer *nutro*? Teria, teria sim, teria dito nutro & relacionamento & rompimento & afeto, teria dito também estima & consideração & mais alto apreço e toda essa merda educada que as pessoas costumam dizer para colorir a indiferença quando o coração ficou inteiramente gelado. Uma estalactite — estalactite ou estalagmite? merda, umas caíam de cima, outras subiam de baixo, mas que importa: aquela lança fininha de gelo afiado — cravada com extrema cordialidade no fundo do peito dela. Vampira, envelheceria séculos lentamente até desfazer-se em pó aos pés impassíveis dele. Mas ao contrário, tão desamparada e descalça, quase nua, sem maquilagem nem anjo de guarda, dentro de uma camisola velha de pelúcia, às vésperas da Sexta-Feira Santa, sozinha no apartamento e no planeta Terra.

Esmagou o cigarro, baixou a cabeça como quem vai chorar. Mas não choraria mais uma gota sequer, decidiu brava, e contemplou os próprios pés nus. Uns pés pequenos, quase de criança, unhas sem pintura, afundados no tapetinho amarelo em frente à penteadeira. Foi então que lembrou dos sapatos. Na segunda-feira, tentando reunir os fragmentos, não saberia dizer se teria mesmo precisado acender outro cigarro ou beber mais um gole de uísque para ajudar a ideia vaga a tomar forma. Talvez sim, pouco antes de começar a escancarar portas e gavetas de todos os armários e cômodas, à procura dos sapatos. Que tinham sido presente dele, meio embriagado e mais ardente depois de um daqueles fins de semana idiotas no Guarujá ou Campos do Jordão, tanto tempo atrás. Viu-se no espelho de má qualidade, meio deformada a distância, uma mulher descabelada jogando caixas e roupas para os lados até encontrar, na terceira gaveta do armário, o embrulho em papel de seda azul-clarinho.

Desembrulhou, cuidadosa. Uma súbita calma. Quase bailarina em gestos precisos, medidos, elegantes. O silêncio completo do apartamento vazio quebrado apenas pelo leve farfalhar do papel de seda desdobrado sem pressa alguma. E eram lindos, mais lindos do que podia lembrar. Mais lindos do que tinha tentado expressar quando protestou, comedida e comovida — mas são tão... tão ousados, meu bem, não têm nada a ver comigo. Que evitava cores, saltos, pinturas, decotes, dourados ou qualquer outro detalhe capaz sequer de sugerir sua secreta identidade de mulher-solteira-e-independente-que-tem-um-amante-casado.

Vermelhos — mais que vermelhos: rubros, escarlates, sanguíneos —, com finos saltos altíssimos, uma pulseira estreita na altura do tornozelo. Resplandeciam nas suas mãos. Quase cedeu ao impulso de calçá-los imediatamente, mas sabia instintiva que teria primeiro de cumprir o ritual. De alguma forma, tinha decorado aquele texto há tanto tempo que apenas o supunha esquecido. Como uma estreia adiada, anos. Bastavam as primeiras palavras, os primeiros movimentos, para que todas as marcas e inflexões se recompusessem em requintes de detalhes na memória. O que faria a seguir seria perfeito, como se encenado e aplaudido milhares de vezes.

Perfeitamente: Adelina colocou um disco — nem Charles Aznavour, nem Glenn Miller, mas uma úmida Billie Holiday, *I'm glad, you're bad*, tomando o cuidado de acionar o botão para que a agulha voltasse e tornasse a voltar sempre, *don't explain*, depois deixou a banheira encher aos poucos de suave água morna, salpicou os sais antes de mergulhar, com Billie gemendo rouca ao fundo, *lover man*, e lavou todos os orifícios, e também os cabelos, todos os cabelos, enfrentou o chuveiro frio, secou o corpo e cabelos enquanto esmaltava as unhas dos pés, das mãos, no mesmo tom de vermelho dos sapatos, mais tarde desenhou melhor a boca, já dentro do vestido preto justo, drapeado de crepe, preso ao ombro por um pequeno broche de brilhantes, escorregando pelo colo para revelar o início dos seios, acentuou com o lápis o sinal na face direita, igualzinho ao de Liz Taylor, todos diziam, sublinhou os olhos de negro, escureceu os cílios, espalhou perfume no rego dos seios, nos pulsos, na jugular, atrás das orelhas, para exalar quando você arfar, minha filha, então as meias de seda negra transparente, costura atrás, tigresa *noir*, Lauren Bacall, e só depois de guardar na carteira talão de cheques, documentos, chave do carro, cigarros e o isqueiro de prata que tirou da caixinha de veludo grená, presente dos 37, só mesmo quando estava pronta dos pés à cabeça e desligara o toca-discos, porque eles exigiam silêncio — foi que sentou outra vez na penteadeira para calçar os sapatinhos vermelhos.

Apagou a luz do quarto, olhou-se no espelho de corpo inteiro do corredor. Gostou do que viu. Bebeu o último gole de uísque e, antes de sair, jogou na gota dourada do fundo do copo o filtro branco manchado de batom.

2

Eram três, estavam juntos, mas o negro foi o primeiro a pedir licença para sentar. A única mulher sozinha na boate. Tinha traços finos, o negro, afilados como os de um branco, embora os lábios mais polpudos, meio molhados. Músculos que estalavam dentro da camiseta justa, dos *jeans* apertados. Leve cheiro de bicho limpo, bicho lavado, mas indisfarçavelmente bicho atrás do sabonete.

— E aí, passeando? — ele perguntou, ajeitando-se na cadeira à frente dela.

Curvou-se para que ele acendesse seu cigarro. A mão grande, quadrada, preta e forte não se moveu sobre a mesa. Ela mesma acendeu, com o isqueiro de prata. Depois jogou a cabeça para trás — a marcação era perfeita —, tragou fundo e, entre a fumaça, soltou as palavras sobre os patéticos pratinhos de plástico com amendoim e pipocas:

— Você sabe, feriado. A cidade fica deserta, essas coisas. Precisa aproveitar, não?

Por baixo da mesa, o negro avançou o joelho entre as coxas dela. Cedeu um pouco, pelo menos até sentir o calor aumentando. Mas preferiu cruzar as pernas, estudada. Que não assim, tão fácil, só porque sozinha. E quase quarentona, carne de segunda, coroa. Sorriu para o outro, encostado no balcão, o moço dourado com jeito de tenista. Não que fosse louro, mas tinha aquele dourado do pêssego quando mal começa a amadurecer espalhado na pele, nos cabelos, provavelmente nos olhos que ela não conseguia ver sem óculos, a distância. O negro acompanhou seu olhar, virando a cabeça sobre o próprio ombro. De perfil — ela notou —, o queixo era brusco, feito a machado. Mesmo recém-feita, a barba rascaria quando se passasse a mão. Antes que dissesse qualquer coisa, ela avançou, voz muito rouca:

— Por que não convida seus amigos para sentar com a gente? — Ele rodou um amendoim entre os dedos. Ela tomou o amendoim dos dedos dele. O crepe escorregou do ombro para revelar o vinco entre os dois seios: — Acho que você não precisa disso.

O negro franziu a testa. Depois riu. Passou o indicador nas costas da mão dela, pressionando:

— Pode crer que não.

Soprou a fumaça na cara dele:

— Será?

— Garanto a você.

Descruzou as pernas. O joelho dele tornou a apertar o interior de suas coxas. Quero te jogar no solo, a música dizia.

— Então chame seus amigos.

— Você não prefere que a gente fique só nós dois?

Tão escuro ali dentro que mal podia ver o outro, ao lado do tenista dourado. Um pouco mais baixo, talvez. Mas os ombros largos. Qualquer coisa no porte, embora virado de costas para ela, de frente para o balcão, curvado sobre o copo de bebida, qualquer coisa na bunda firme desenhada pelo pano da calça — qualquer coisa ali prometia. Remexeu as pedras de gelo do uísque na ponta das unhas vermelhas.

— Uns rapazes simpáticos. Assim, sozinhos. Não são seus amigos?

— Do peito — ele confirmou. E apertou mais o joelho. A calcinha dela ficou úmida. — Tudo gente boa.

— Gente boa é sempre bem-vinda — falava como a dublagem de um filme. Uma mulher movia o corpo e a boca: ela falava. Um filme em preto e branco, bem-contrastado, um filme que não tinha visto, embora conhecesse bem a história. Porque alguém contara, em hora de cafezinho, porque vira os cartazes ou lera qualquer coisa numa daquelas revistas femininas que tinha aos montes em casa. As mais recentes, na parte de baixo da mesinha de vidro da sala. As outras, acumuladas no banheiro de empregada, emboloradas por um eterno vazamento no chuveiro, que a diarista depois levava. Para vender, dizia. E ela odiava contida a ideia das páginas coloridas das revistas dela embrulhando peixe na feira ou expostas naquelas bancas vagabundas do centro da cidade.

— Se você quer mesmo — o negro disse. E esperou que ela dissesse alguma coisa, antes de erguer a mão chamando os outros dois.

— Não quero outra coisa — sussurrou.

E meio de repente — porque depois do quarto ou quinto uísque tudo acontece sempre assim, sem que se possa determinar o ponto exato de transição, quando uma situação passa a ser outra situação —, quase de repente, o tenista-dourado estava ao lado direito dela, e o rapaz mais baixo à sua esquerda. Na cadeira em frente, o negro olhava tudo com atentos olhos suspeitosos. Perguntou o que bebiam, eles disseram juntos e previsíveis: cerveja. Ela falou nossa, bebam algum drinque mais estimulante, vocês vão precisar, rapazes, um ar de Mae West. Todos três explicaram que estavam duros, a crise, você sabe, mas de jeitos diferentes. O tenista-dourado chegou a puxar o forro do bolso para fora e mostrou, pegando a mão dela, veja, veja só, pegue aqui, mas ela retirou a mão pouco antes de tocar. Tão próximo, calor latejante na beira dos dedos. Problema nenhum, ofereceu pródiga: eu pago. A fita da garrafa pela metade, serviu do uísque dela ao negro e ao tenista-dourado. Não ao mais baixo, que preferia vodca, natasha mesmo serve. Ela então atentou nele pela primeira vez. Todo pequeno e forte, cabelos muito crespos contrastando com a pele branca, lábios vermelhos, barba de dois, três dias, quase emendada nos cabelos do peito fugidos da gola da camisa, mãos cruzadas um tanto tensas, unhas roídas, sobre o xadrez da toalha. Cabeça baixa, concentrado em sua pequenez repleta da vitalidade que, certeira, ela adivinhava mesmo antes de provar.

Pacientes, divertidos, excitados: cumpriram os rituais necessários até chegar no ponto. Que o negro era Áries, jogador de futebol, mês que vem passo ao primeiro escalão, ganhando uma grana. Sérgio ou Sílvio, qualquer coisa assim. O tenista-dourado, Ricardo, Roberto, ou seria Rogério? um bancário sagitariano, fazia musculação e os peitos que pediu que tocasse eram salientes e pétreos como os de um halterofilista, sonhava ser modelo, fiz até umas fotos, quiser um dia te mostro, peladinho, e ela pensou: vai acabar michê de veado rico. Do mais baixo só conseguiu arrancar o signo, Leão, isso mesmo porque adivinhou, não revelou nome nem disse o que fazia, estava por aí, vendo qual era, e não tinha saco de fazer social.

Eu? Gilda, ela mentiu retocando o batom. Mas mentia só em parte, contou para o espelhinho, porque de certa forma sempre fui inteiramente Gilda, Escorpião, e nisso dizia a verdade, atriz, e novamente mentia, só de certa forma, porque toda a minha vida.

Então dançaram, um de cada vez. O negro apoiou a mão pesada na cintura dela e, puxando-a para si, encaixou o ventre dos dois, quase como se a penetrasse assim, ao som de um Roberto Carlos daqueles de motel, o côncavo, o convexo, tão apertado e rijo que ela temeu que molhasse a calça. Mas de volta à mesa, ao acariciar disfarçada o volume, tranquilizou-se antes de sair puxada pela mão dourada do tenista-dourado. Que a fez encostar a cabeça entre os dois peitos dele, cheiro de colônia, desodorante, suor limpo de homem embaixo da camisa polo amarelinha, lambeu a orelha dela, mordiscou a curva do pescoço ao som duma dessas trilhas românticas em inglês de telenovela, até que ela gemesse, toda molhada, implorando que parasse. O mais baixo não quis dançar. Quero foder você, rosnou: pra que essa frescura toda?

Foi quando ela levantou a perna, apoiando o pé na borda da cadeira, que todos viram o sapato vermelho. Depois dos comentários exaltados, as meticulosas preparações estavam encerradas, a boate quase vazia, sexta-feira instalada, e era da Paixão, cinza cru de amanhecer urbano entrando pelas frestas, o único garçom impaciente, cadeiras sobre as mesas. Tinham chegado ao ponto. O ponto vivo, o ponto quente.

— Pra onde? — perguntou o tenista-dourado.

— Meu apartamento, onde mais? — ela disse, terminando de assinar o cheque, três estrelas, caneta importada.

— Mas afinal, com quem você quer ir? — o negro quis saber.

Ela acariciou o rosto do mais baixo:

— Com os três, ora.

Apesar do uísque, saiu pisando firme nos sapatos vermelhos, os três atrás. Lá fora, na luz da manhã, antes de entrarem no carro que o manobrista trouxe e o tenista-dourado fez questão de dirigir, os sapatos vermelhos eram a única coisa colorida daquela rua.

3

Que tirasse tudo, menos os sapatos — os três imploraram no quarto em desordem. Garrafa de uísque na penteadeira, Fafá de Belém antiga no toca-discos (escolha do tenista-dourado, o negro queria Alcione), cinzeiro transbordante na mesinha de cabeceira. Tirou tudo, jogando para os lados. Menos as meias de seda negra, com costura atrás, e os sapatos vermelhos. Nua, jogou-se na colcha de chenile rosa, as pernas abertas. Eles a cercaram lentos, jogando as zorbas sobre o crepe negro.

O negro veio por trás, que gostava assim, tão apertadinho. Ela nunca tinha feito, mas ele jurou no ouvido que seria cuidadoso, depois mordeu-a nos ombros, enquanto a virava de perfil, muito suavemente, molhando-a de saliva com o dedo, para que o mais baixo pudesse continuar a lambê-la entre as coxas, enquanto o tenista-dourado, de joelhos, esfregava o pau pelo rosto dela, até encontrar a boca. Tinha certo gosto também de pêssego, mas verde demais, quase amargo, e passando as mãos pelas costas dele confirmou aquela suspeita anterior de uma penugem macia num triângulo pouco acima da bunda, igual ao do peito, acinzentado pelo amanhecer varando persianas, mas certamente dourado à luz do sol. Foi quando o negro penetrou mais fundo que ela desvencilhou-se do tenista-dourado para puxar o mais baixo sobre si. Ele a preencheu toda, enquanto ela tinha a sensação estranha de que, ponto remoto dentro dela, dos dois lados de uma película roxa de plástico transparente, como num livro que lera, os membros dos dois se tocavam, cabeça contra cabeça. E ela primeiro gemeu, depois debateu-se, procurou a boca dourada do tenista-dourado e quase, quase chegou lá. Mas preferia servir mais uísque, fumar outro cigarro, sem pressa alguma, porque pedia mais, e eles davam, generosos, e absolutamente não se espantar quando então invertiam-se as posições, e o tenista-dourado vinha por trás ao mesmo tempo que o mais baixo introduzia-se em sua boca, e o negro metido dentro dela conseguia transformar os gemidos em gritos cada vez mais altos, fodam-se os vizinhos, depois cada vez mais baixos novamente, rosnados, grunhidos, até não passarem de soluços miudinhos, sete galáxias atravessadas, o sol de Vega no décimo quarto grau de Capricórnio e a cara afundada nos cabelos pretos encaracolados do negro peito largo dele. De outros jeitos, de todos os jeitos: quatro, cinco vezes. Em pé, no banheiro, tentando aplacar-se embaixo da água fria do chuveiro. Na sala, de quatro nas almofadas de cetim, sobre o sofá, depois no chão. Na cozinha, procurando engov e passando café, debruçada na pia. Em frente ao espelho de corpo inteiro do corredor, sem se chocar que o mais baixo de repente viesse também por trás do tenista-dourado dentro dela, que acariciava o pau do negro até que espirrasse em jatos sobre os sapatos vermelhos dela, que abraçava os três, e não era mais Gilda, nem Adelina nem nada. Era um corpo sem nome, varado de prazer, coberto de marcas de dentes e unhas, lanhado dos tocos das barbas amanhecidas, lambuzada do leite sem dono dos machos das ruas. Completamente satisfeita. E vingada.

Quando finalmente se foram, bem depois do meio-dia, antes de jogar-se na cama limpou devagar os sapatos com uma toalha de rosto que jogou no cesto de roupa suja. Foi o neon, repetiu andando pelo quarto, aquelas luzes verdes, violeta e vermelhas piscando em frente à boate, foi o neon maligno da Sexta-Feira Santa, quando o diabo se solta porque Cristo está morto, pregado na cruz. Quando apagou a luz, teve tempo de ver-se no espelho da penteadeira, maquilagem escorrida pelo rosto todo, mas um ar de triunfo escapando do meio dos cabelos soltos.

Acordou no Sábado de Aleluia, manhã cedo, campainha furando a cabeça dolorida. Ele estava parado no corredor, dúzia de rosas vermelhas e um ovo de Páscoa nas mãos, sorriso nos lábios pálidos. Não era preciso dizer nada. Só sorrir também. Mas ela não sorria quando disse:

— Vai embora. Acabou.

Ele ainda tentou dizer alguma coisa, aquele ridículo terno cinza. Chegou mesmo a entrar um pouco na sala antes que ela o empurrasse aos gritos para fora, quase inteiramente nua, a não ser pelas meias de seda e os sapatos vermelhos de saltos altíssimos. Havia um cheiro de cigarro e bebida e gozo entranhado pelos cantos do apartamento, a cara de ressaca dela, manchas-roxas de chupões no colo. Pela primeira, única e última vez ele a chamou muitas vezes de puta, puta vadia, puta escrota depravada pervertida. Jogou o ovo e as rosas vermelhas na cara dela e foi embora para sempre.

Só então ela sentou para tirar os sapatos. Na carne dos tornozelos inchados, as pulseiras tinham deixado lanhos fundos. Havia ferimentos espalhados sobre os dedos. Tomou banho muito quente, arrumou a casa toda antes de deitar-se outra vez — o broche de brilhantes tinha desaparecido, mas que importava: era falso —, tomar dois comprimidos para dormir o resto do sábado e o domingo de Páscoa inteiros, acordando para comer pedaços de chocolate de ovo espatifado na sala.

Segunda-feira no escritório, quando a viram caminhando com dificuldade, cabelos presos, vestida de marrom, gola fechada, e quiseram saber o que era — um sapato novo, ela explicou muito simples, apertado demais, não é nada. Voltavam a doer, os ferimentos, quando ameaçava chuva. E ao abrir a terceira gaveta do armário para ver o papel de seda azul-clarinho guardando os sapatos, sentia um leve estremecimento. Tentava — tentava mesmo? — não ceder. Mas quase sempre o impulso de calçá-los era mais forte. Porque afinal, dizia-se, como num conto de Sonia Coutinho, há tantas sextas-feiras, tantos luminosos de neon, tantos rapazes solitários e gostosos perdidos nesta cidade suja... Só pensou em jogá-los fora quando as varizes começaram a engrossar, escalando as coxas, e o médico então apalpou-a nas virilhas e depois avisou quê.

***Os dragões não conhecem o paraíso*, 1988**

Mel & girassóis

(ao som de Nara Leão)

Para Nelson Brissac Peixoto

1

Como naquele conto de Cortázar — encontraram-se no sétimo ou oitavo dia de bronzeado. Sétimo ou oitavo porque era mágico e justo encontrarem-se, Libra, Escorpião, exatamente nesse ponto, quando o eu vê o outro. Encontraram-se, enfim, naquele dia em que o branco da pele urbana começa a ceder território ao dourado, o vermelho diluiu-se aos poucos no ouro, então dentes e olhos, verdes de tanto olharem o sem-fim do mar, cintilam feito os de felinos espiando entre moitas. Entre moitas, olharam-se. Naquele momento em que a pele entranhada de sal começa a desejar sedas claras, algodões crus, linhos brancos, e a contemplação do próprio corpo nu revela espaços sombrios de pelos onde o sol não penetrou. Brilham no escuro esses espaços, fosforescentes, desejando outros espaços iguais em outras peles no mesmo ponto de mutação. E lá pelo sétimo, oitavo dia de bronzeado, passar as mãos nessas superfícies de ouro moreno provoca certo prazer solitário, até perverso, não fosse tão manso, de achar a própria carne esplêndida.

Olharam-se entre palmeiras — carnívoros, mas saciados, portanto serenos — pela primeira vez. Quase animais no meio das moitas sombrias em que de repente tornou-se o céu azul redondo, de cetim, o mar verde, pedra semipreciosa, quando se olharam. Ela boiava além da arrebentação, onde a espuma das ondas não atrapalha mais quem tem vontade de contemplar os próprios pés confundidos com a areia branca do fundo do mar. Olhos fechados, deitada de costas na água, maiô preto, cabelos espalhados em volta, mãos abertas, pernas abertas, como se trepasse com o sol. Apenas a boca cerrada revelava alguma dureza, mas essa boca se abriu assustada quando ele veio nadando desde a praia, cabeça afundada na água — e sem querer esbarrou nela.

Foi assim: ela boiava toda aberta, viajando mais longe que aqueles navios cruzando de tardezinha o horizonte, ninguém sabia em direção a onde. Então ele veio, braço após braço, meio tosco, meio selvagem, e de repente num braço estendido à frente do outro a mão desse braço tocou sem querer, por isso mesmo meio bruscamente, a coxa dela. A moça contraiu-se, esponja ferida, projetou o busto e abriu uns olhos meio injetados de sal, de mar, de luz. A mão dele também contraiu-se, e ficaram os dois se olhando, completamente molhados, direto nos olhos, quase meio-dia de sol abrasador, verão a mil. Você sabe, susto de onça, leopardo, nesse olhar que, além dele ou dela, só abarcava um mar imenso. Até que ele falou:

— Desculpe.

Ela disse:

— Não foi nada.

Como se não tivessem levado um susto. Hipócritas, sociais, duas pessoas passando 15 dias de férias numa praia qualquer do Havaí ou Itaparica, sorriram amavelmente um para o outro, embaixo dos cabelos encharcados, fingiram que estava tudo bem. E estava, sério. Ele nadou para longe. Ela continuou boiando. Indiferentes. Nadando para longe, em direção àqueles veleiros que não eram reais, mas uma paisagem desenhada e até meio cafona, exatamente do gênero desta que traço agora — ele olhou para trás e a viu assim como ela estava antes, só que artificialmente agora, depois que ele a vira: olhos fechados, braços e pernas abertos, entregue como se trepasse com o sol. Enquanto ele nadava para longe, meio tosco, meio selvagem, braço após braço, cara afundada na água, ela também abriu um dos olhos. E espiou. Ele nadava para longe dela, uma pedra no meio do caminho, ela pensou, que tinha algumas leituras, sim. Mas uma pedra, supôs, que afastaria com a ponta do sapato, não estivesse de pés nus, afundados na água. Ela agitou os pés nus dentro da água morna afundados. Lugar-comum, sonho tropical: não é excitante viver?

2

Encontraram-se novamente na mesma noite. Desta vez foi diferente. Ele demorou-se um pouco mais na frente do espelho, tramando sobre o corpo de banho tomado a camisa branca, a calça azul-clarinha, bem largas as duas. Mas de maneira alguma pensou nela nem em ninguém mais, enquanto se olhava, garanto. Então foi jantar no restaurante do hotel, aquela coisa de bananas & abacaxis decorando saladas, araras & tucanos empoleirados sobre suflês, como um filme meio B, até mesmo meio C, e de repente houvesse um número rápido com Carmen Miranda nas escadarias, não espantaria. Ela não se demorou. Urbana fiel ao preto, jogou a seda de uma blusa sobre o velho jeans meio arrebentado, e só entregou certa expectativa — naquele momento, honestamente, nem ela saberia de quê — quando acrescentou um pequeno fio de pérolas, quase invisível. E jogou o cabelo comprido para o lado, num gesto rápido de mulher, tão de mulher que é desses preferidos pelos travestis.

Então desceram. Só uma forma de dizer, porque não, não havia escadarias. Também, não cheguemos a tanto. Eram como bangalôs dispostos lado a lado, e para chegar ao restaurante você vinha por uma espécie de corredor--varanda coberto de tralhas artesanais, redes penduradas entre colunas em arco. Se você quer saber, havia sim cestos de palha, peixes empalhados pendurados nas paredes caiadas de branco, além de grandes vasos de cerâmica — que, inevitável, faziam lembrar de Morgiana e Ali Babá — estrategicamente espalhados no percurso. Morenos de calças brancas e peito nu tocando violão jogados em redes, também havia. E moças morenas de cabelos soltos, vestidos estampados de flores miudinhas, caminhando tão naturais entre as cerâmicas que tudo aquilo parecia de verdade. Aquela coisa rústica: todos morenos, ardentes, arfantes, ecológicos, contratados pelo hotel. Vieram caminhando por esse corredor, ele de branco, ela de preto, até entrarem no que chamavam, certa pompa só medianamente convincente, de O Grande Salão.

Não se encontraram de imediato. Ela ficou numa mesa do lado esquerdo, com a Professora Secundária Recuperando-Se Do Amargo Desquite, a Secretária Executiva Louca Por Uma Transa Com Aqueles Garotões Gostosos e a Velha Tia Solteirona Cansada De

Cuidar Dos Sobrinhos. Ele sentou numa mesa à extrema direita — nada ideológico — junto do Casal Em Plena Segunda Lua De Mel Arduamente Conquistada e o Jogador De Basquete Em Busca De Uma Vida Mais Natural. Conversando, durante o suflê de camarão e o ponche de champanha, que era um hotel cinco estrelas, com certo sucesso ela citou Ruth Escobar, Regina Duarte, uma matéria da revista *Nova* e arriscou Susan Sontag, mas ninguém entendeu. Enquanto ele amassava o segundo maço de Marlboro e tinha um pouco de preguiça de defender Paulo Francis, mas concordou que os ministérios, tanto para a cultura quanto para o esporte ou a educação, não eram lá essas coisas. Além do mais, tinha saudade, sim, dos Aero Willys.

Encararam-se mesmo foi na hora do doce de coco em lascas com banana amassada. Desta vez, foi ela quem esbarrou nele. Então ele olhou-a com aqueles olhos meio fatigados de quem está suportando uma noite extremamente chata, para ver uma moça que já tinha visto antes. Cabelos presos na nuca, blusa de seda preta, jeans arrebentados, uma moça com olhos de quem está suportando, na boa, uma noite extremamente chata, e só lembrou vagamente que a conhecia de algum lugar. Mas ela localizou naquele homem moreno, nariz descascando um pouco na ponta, exatamente o cara que tinha esbarrado nela na praia, só que de cabelos secos, vestido. Ela sorriu, porque tinha esses lances assim, meio provocantes, e disse:

— Agora estamos quites.

Meio pateta, como costumam ser os homens, em férias ou não, ele rosnou:

— Hã?

E quando ela pediu com-licença e ele se afastou um pouco foi que, vendo-a pelas costas, eretas demais, um tanto tensas, reconheceu a-moça-da-boia e falou:

— Tudo bem?

Ela disse:

— Joia.

Depois serviram-se, comeram, entediaram-se pelo resto da noite, que não era muito longa — a não ser que você quisesse chafurdar em pântanos de daiquiri para depois chamar, também podia, por telefone, um daqueles rapazes de calças brancas, sem o violão, naturalmente, ou uma daquelas moças de vestido estampado. Então inventar qualquer história que resultaria num cheque a menos no talão e, quem sabe, alguma espécie de prazer suarento e, esperava-se, totalmente — ou pelo menos um pouco — selvagem. Eles não queriam isso. Nessa noite, nessa altura, nesta história decididamente: não. De longe, olharam-se distraídos, tomaram seus cafés, fumaram seus cigarros, pediram licença, debruçaram-se um pouco pelas varandas ao som de é-doce-morrer-no-mar ou minha-jangada-vai-sair-pro-mar. Depois, delicadamente foram dormir. Sozinhos.

3

Antes de dormir, ele fumou três Marlboro. Ela tomou meio Dienpax. Ele folheou uma biografia de Dashiell Hammett, tão fodido, coitado, pensou, e Lilian Hellman seria mesmo uma naja? e apagou a luz, virou pro outro lado, tentou ficar de pau duro entre os lençóis cheirando pensou que a algas, mas alga não tem cheiro, qualquer coisa verde, enfim, então dormiu no meio de uma punheta sem objeto, mera mania. Ela abriu Margaret Atwood, mas que coisa mais lenta toda aquela história de mulheres vestidas de vermelho, depois Doris Lessing, mas era meio porco aquele negócio da velha morando num *basement*, então apagou a luz e sem querer pensou em Carlos, mas não vinha mais nem um sinal de emoção, aí dormiu aconchegada na própria pele queimada de sol. Tão maravilhoso & repousante, os dois pensaram pouco antes de dormir.

Manhã seguinte, estendendo a toalha, nota gigante felpuda de um dólar, ela espiou por baixo dos raibans gatinho em todas as direções, não que procurasse alguém, até localizá-lo, sem planejar, a poucos metros. Um homem, verdade, com certa barriga, nada de grave, mas ombros largos, pernas fortes, mãos na cintura, atrevidamente solitário. Ele olhava para ela, pura coincidência. Ela sorriu, pavloviana. Ele levantou a mão. Ela também levantou a mão. Paradas assim no ar, por um momento as mãos dele e dela diziam qualquer coisa como oi, você aí. Qualquer coisa assim, nada a ver. Meticulosa, pós-naturalista, ela passou o urucum na pele, depois deitou-se de costas ao sol. Enquanto ele, sem creme nem óleo, deitava-se de bruços na areia pura (e tantos parasitas, micoses, meu Deus), que os homens são assim, ela pensou, tão rudes. E teve um arrepio. Foi nesse arrepio que soube.

Ele soube quando, deitado de bruços, por baixo do fio sintético do calção preto, o pau ficou mais duro. Ele mexeu devagar a bunda, sem ninguém perceber, num movimento de entra e sai, você sabe, de alguma coisa úmida. Enquanto isso, olhavam-se. Ela, por trás dos raibans gatinho; ele, das sobrancelhas franzidas, das pálpebras apertadas por causa do sol cada vez mais forte. Oblíquos, cada um à sua maneira, começavam a saber.

Passou um negrão vendendo coisas. Ele tomou uma latinha de cerveja, ela achou brega. Ela tomou um suco de limão, ele achou chique, mesmo em copo de plástico. Então ela quase começou a dormir no sol mais e mais quente, umas memórias misturavam-se às fantasias, e ia até resistir ao sono quando viu a Secretária Executiva aproximando-se com uma Estonteante Tanga Tigrada, e preferiu afundar de vez naquela bobeira suada que lhe trazia de volta um nome de homem, certas amarguras, espantos, flashbacks, ela de saia pregueada azul-marinho, uma professora de nariz enorme dizendo você vai longe, menina. Ela ia longe, sim — para Madagascar ou Bali, onde escreveria um livro definitivo sobre A Sabedoria Que As Mulheres Ocidentais Conquistaram Depois Da Grande Desilusão De Tudo Inclusive Dos Homens.

De repente, porque algo acontecera no seu campo de visão, abriu os olhos. Coberta de suor, atordoada como uma menina de saia pregueada azul-marinho, livros apertados contra os pequenos seios. Por entre duas coxas masculinas, peludas, musculosas, ela viu primeiro a crista do mar e um surfista cavalgando ondas, mas como se estivesse enquadrado por aquele limite que, só depois de algum tempo, passando a mão na testa, percebeu que eram duas coxas masculinas. Ela olhou para ele: hein?

Ele estava parado ao lado dela. Mão esquerda na cintura, direita sobre os olhos para proteger-se do sol, ele olhava para ela. Aquela mulher não muito jovem, estendida de costas sobre uma toalha branca, encarando de frente o sol. Era a segunda vez que ele a via assim, encarando de frente o sol. Quando ele percebeu que ela olhava para ele, flexionou as coxas e foi-se apoiando aos poucos nos próprios pés dobrados, até ficar quase ao nível dela, deitada na areia. Meio sem jeito, meio óbvio demais, mas tudo era verão, meio sem assunto e sem saber direito por quê, ele perguntou assim:

— Como vai?

Ela disse:

— Legal. E você?

4

Conversaram, no oitavo ou nono dia. Nadaram juntos na praia, primeiro. Depois ela sentiu sede, ele pagou outro suco de limão, tomou outra cerveja. Deitados na areia, lado a lado, falaram. Se você quer que eu conte, repito, mas não é nada original, garanto. Ela era qualquer coisa como uma Psicóloga Que Sonhava Escrever Um Livro; ele, qualquer coisa como um Alto Executivo Bancário A Fim de Largar Tudo Para Morar Num Barco Como O Amyr Klink. Ela, que quase não fumava, aceitou um cigarro. E disse que gostava de Fellini. Ele concordou: demais. Para surpresa dela, ele falou em Fassbinder. Ela foi mais além, rebateu com Wim Wenders. Ele então teve um pouco de medo, recuou e contemporaneizou em Bergman. Ela disse ah, mas avançou ainda mais e radicalizou em Philip Glass. Ele disse não vi o show, e começou a discorrer sobre minimalismo: um a zero para ele. Ela aproveitou para fazer uma extensa, um tanto tensa, digressão sobre qualquer coisa como Identidades Da Estética Minimalista Com O Feeling Da Bossa Nova. Ele ouviu, espantado: um a zero para ela.

Empatados, encontraram-se em João Gilberto, que ouviam sozinhos em seus pequenos mas bem-decorados apartamentos urbanos, quando queriam abrir o gás, jogar-se pela janela ou cortar os pulsos, e não tinham ninguém na madrugada. Encontraram-se tanto que, mais de meio-dia, ela aceitou também uma cerveja. Meio idiotas, mas tão felizes, ficaram cantando "O pato", enquanto todos aqueles Atletas Dispostos A Tudo Por Um Corpo Mais Perfeito, Gays Fugindo Da Paranoia Urbana Da Aids, Senhoras Idosas Porém Com Tudo Em Cima, e por aí vai, retiravam-se em busca do almoço. O sol queimava queimava. Então ele viu um barquinho a deslizar, no macio azul do mar, mostrou para ela, que viu também, e apontaram, e riram, e o sol não parecia tão ardente — era o oitavo ou nono dia de bronzeado. Aquele, quando o moreno já dominou a pele e você pode, sem susto, tirar os raibans, como ela tirou, para encarar a ele ou a qualquer um outro, direto nos olhos. Que sorriam. Tudo era tão tropical, estavam de férias, morreram de rir, falaram a gente se vê, sem pressa, ao se despedirem na porta dos bangalôs, o dela era o número 19, ele marcou na cabeça. E foram cada um tomar seu banho de água doce.

Descobriram à noite, dançando "Love is a many splendored thing". No começo afastados, depois cada vez mais próximos, à medida que o maestro do conjuntinho enveredava por ciladas como Beatles, Caetano ou Roberto Carlos. Cantaram juntos "Eleanor Rigby", tinham os dois mais de trinta, e ela de repente ficou toda arrepiada com vou-cavalgar-por-toda-a-noite, encostou a cabeça no ombro dele. Ele apertou mais forte a cintura dela. E foram assim, rodando meio tontos, às vezes sentando para falar de Pessoa, Maísa ou Clarice. Aos poucos descobrindo, localizando, sitiando.

Ele tentava esquecer uma mulher chamada Rita. Conforme o uísque diminuía na garrafa, Rita misturava-se aos poucos com outra chamada Helena, ele repetia como-amei-aquela-mulher-nunca-mais-nunca-mais, enquanto ela sentia algum ódio, mas não dizia nada, toda madura repetindo isso-passa-questão-de-tempo-tudo-bem. Para espanto dele, ela falou o nome daquele homem de antes, de outros também, Alexandre, Lauro, Marcos, Ricardo — ah os Ricardos: nenhum presta —, e ele também sentiu certo ódio, nada de grave, normal, tempos modernos, mero confronto de descornos. Falaram então sobre as paixões, os enganos, as carências e todas essas coisas que acontecem no coração da gente e tudo, e nada. Dançaram de novo. Ele achava tão bom debruçar o rosto naquela curva do pescoço dela. Ela achava um pouco *forte* estar-se exibindo assim com um homem afinal desconhecido debruçado desse jeito no pescoço dela, mas encostava mais e mais a bacia na bacia dele — a pelve, a pelve, repetia, mentalmente ensaiando passos de dança e-um-e-dois-e-três —, um homem tão abandonado e limpinho cheirando não sabia ainda se a Paco Rabanne ou Eau Sauvage, seria Phebo? cheiro de homem direito decente e porra caralho: afinal, estavam de férias. E livres, mas esse maldito vírus impõe prudência. Ela deixou que a mão dele descesse até abaixo da cintura dela. E numa batida mais forte da percussão, num rodopio, girando juntos, ela pediu:

— Deixa eu cuidar de você.

Ele disse:

— Deixo.

5

Assim foram pelos dias, que não eram muitos mais. Quatro, cinco, nem uma semana. Caminhavam descalços na areia, à noite, à beira-mar — juro. Devagar, as mãos se tocavam: a tua é tão longa, a tua tão quadrada. Ele não queria entrar noutra história, porque doía. Ela não queria entrar noutra história, porque doía. Ela tinha assumido seu destino de Mulher Totalmente Liberada Porém Profundamente Incompreendida E Aceitava A Solidão Inevitável. Ele estava absolutamente seguro de sua escolha de Homem Independente Que Não Necessita Mais Dessas Bobagens De Amor. Caminhavam assim, lembrando juntos letras de bossa nova. Ela imitava Nara Leão: se-alguém-perguntar-por-mim. Ele, Dick Farney: pelas-manhãs-tu-és-a-vida-a-cantar. Nada sabiam de punks, darks, neons, cults, noirs. Eram tão antigos caminhando de mãos dadas naquela areia luminosa, macia de pisar quando os pés afundam nela lentamente. Carne de lagosta, creme, neve. Tão bom encontrar você, um cantinho, um violão.

Beijavam-se depois com certa ardência excessiva na porta do bangalô dela. Ou dele, quando ele bebia demais e não segurava, mas isso era tolerável, embora frequente. Na boca, só umas três vezes. A lua era tão cheia, eles tão tímidos. De língua, uma única. Meio contraídos — ele tinha uma ponte fixa do lado esquerdo superior; ela, um pino segurando um pré-molar do lado direito inferior. Ele a achava tão digna & superior, ela o achava tão elegante & respeitador. E pensavam: isto é uma historinha de férias, não leva a nada, passatempo. Se ele tivesse amigos por ali, diriam come essa mina logo, cê tá marcando, cara. Se ela tivesse amigas ali, brincariam de bruxas de Eastwick, discutiriam cheiros, volumes, investigariam saldos no talão de cheques. Sem ninguém, na real: ele a deixava ou ela o deixava. Era só, depois iam dormir. Então sonhavam um com o outro no escuro cinco estrelas de seus bangalôs com antena parabólica.

Ela deita de costas na cama, ele pensava, só de calcinhas. Ela tem seios pequenos que ele fecharia dentro das duas mãos, como quem segura duas maçãs daquelas verdinhas. Eu deito por cima dela, afundo a cabeça no seu ombro. Ela passa a mão direita por trás das minhas costas, me lambe na orelha, passa a mão nas minhas costas, vai descendo, arranha sem machucar, ela tem as unhas curtas, até em cima da minha bunda, então começa a descer a minha cueca, eu fico sentindo meu peito apertado contra os seios miúdos dela, enquanto ela continua a descer devagarinho a minha cueca e eu começo a sentir também a pressão de meu pau contra seu umbigo, até a cueca chegar aos joelhos e eu comprimo meu pau contra sua barriga, então ela diz gracinha-gracinha, e quando a cueca chega nos meus tornozelos eu a expulso para o meio do quarto com um pontapé e fico inteiro nu contra ela que está quase inteiramente nua também, porque vou descendo sua calcinha devagar enquanto digo: minha mãe, irmã, esposa, amiga, puta, namorada — te quero.

Ele vem por cima de mim, ela pensava, enquanto o espero deitada na cama. Ele afunda em cima de mim como um bebê que quisesse mamar no meu seio que então empino, oferecendo o bico duro a ele. Ele passa a mão por trás das minhas costas que arqueio um pouco, para que ele possa me apertar pela cintura, enquanto me afundo mais no corpo dele, e desço suas cuecas devagar até que ele as jogue com um pontapé no meio do quarto ao mesmo tempo em que sua mão na minha cintura desceu minhas calcinhas até jogá-las no meio do quarto. Então nos apertamos inteiramente nus um contra o outro, enquanto ele entra em mim, tão macio, e ele me diz você é a mulher que eu sempre procurei na minha vida, e eu digo você é o homem que eu sempre procurei na minha vida, e nos afogamos um no outro, e nos babamos e lambuzamos da baba da boca e dos líquidos dos sexos um do outro enquanto digo: meu pai, irmão, marido, amigo, macho, príncipe encantado — te quero.

6

No final dos 15 dias, estavam inteiramente dourados. Nadaram: ela falou, entre braçadas, que estava com saudade da avenida Paulista, pique, buzina, relógio digital. Comeram camarão: ele falou que estava com saudade do Rodeio, picanha fatiada, salada de agrião, dry martini. Correram juntos pela praia sem falar nada. Mas tudo em qualquer movimento dizia que pena, baby, o verão acabou, postal colorido, click: já era. Fumaram cigarros meio secos sobre a areia, olhando o horizonte, falando forçados do Livro Que Ela Ia Escrever e do Barco Onde Ele Ia Morar, porque afinal não eram animais, respeitavam o in-te-lec-to um do outro. Mais de trinta anos, quase dez de análise, nenhum laço, alguma segurança, pura liberdade.

Todo aquele simulacro de Havaí em volta: maduros, prontos. À espera.

Ele ofereceu outro Marlboro, ela aceitou. Ela passou Coppertone nas costas dele, ele deixou. Ela falou que bom encontrar você no meio de gente tão medíocre, ele sorriu envaidecido. Ele disse nunca pensei encontrar uma mulher como você num lugar como este (mas não é nenhum puteiro, ela desconfiou), ela sorriu lisonjeada. Ele esticou a perna, o pé dele ficou bem ao lado do pé dela. O pé dela era branco, arqueado pelos muitos anos de dança. O pé dele era moreno, joanete saliente, unhas machucadas, pé de executivo. Como por acaso, o pé dele debruçou sobre o pé dela. Ela deixou — último dia, não havia mais tempo. Manhã seguinte, acabou: *the end* — sem *happy*? Ela sentiu-se um pouco tonta naquele sol todo, ele perguntou se queria uma água. Ela suspeitou que ele a achava uma coroa meio chata porque afinal, nesses dias todos, nem tinha tentado qualquer coisa mais. Ele suspeitou que ela o achava um cara inteiramente careta porque, nesses dias todos, nem tinha tentado qualquer coisa mais.

Eles se olharam com tanta suspeita e compreensão, mais de meio-dia na praia escaldante. Os olhos dele lacrimejavam de tanta luz. Ela emprestou a ele os raibans gatinho, depois riu enquanto ele colocava e fazia uma pose meio de bicha. Será, ela suspeitou. E olhou para as garotas que jogavam vôlei de uma maneira tão decidida que será, ele suspeitou. Tempos modernos, vai saber. O sol continuava a descer, tomaram três latinhas de cerveja cada um, lembraram da letra inteira de tá-fazendo-um-ano--e-meio-amor-que-o-nosso-lar-desmoronou, ela pensou com desgosto no Fiat verde avançando pelo Minhocão, oito da manhã, ele pensou com desgosto nos três telefones à sua mesa, e os dois pensaram com tanto desgosto nessas coisas todas que tomaram mais uma cerveja, o sol continuava descendo. Não tinha mais ninguém na praia quando viram o sol, bola vermelha, mergulhar no mar em direção ao Japão. Enquanto amanhece lá, anoitece aqui, ele disse. Combinaram vagamente um sushi na Liberdade. Mas era o último dia, puro verão, e não estavam nem um pouco a fim um do outro, que pena.

7

Comeram lagosta, à noite. Ela toda de branco, cabelos soltos, dourados de sol, meio queimados de sal. Ele todo de preto, camisa aberta ao peito, pele novinha em folha na ponta do nariz comprido. Depois dançaram, sempre dançavam. Quase não disseram nada. Soprava uma brisa morna do mar, bem assim, agitando a copa das palmeiras. Eu sou uma mulher tão sozinha, ela disse de repente. Eu sou um homem tão sozinho, ele disse de repente. Foi quando o conjuntinho começou a tocar "Lygia", de Tom Jobim, que eles falaram juntos: o João um dia devia gravar essa, já gravou? não me lembro: e-quando-eu-me-apaixonei-não-passou-de-ilusão. Apertaram-se tanto um contra o outro, sem nenhuma intenção, só enlevo mesmo, que não perceberam a pista esvaziando, e de repente eram três, quase quatro da madrugada. O ônibus até o aeroporto saía às oito, o dela, às nove, o dele, e continuavam os dois no meio da pista, sem conseguir parar de dançar coisas como "Moonlight serenade", ou "As time goes by", músicos cúmplices. Eles eram tão colonizados, tão caretas e carentes, eles estavam tão perdidos no meio daquela fantasia sub-havaiana que já ia acabar. Ela era só uma moça querendo escrever um livro e ele era só um moço querendo morar num barco, mas se realimentando um do outro para. Para quê? Eles pareciam não ter a menor ideia.

O cheiro dele era tão bom nas mãos dela quando ela ia deitar, sem ele. O cheiro dela era tão bom nas mãos dele quando ele ia deitar, sem ela. O corpo dela se amoldava tão bem ao dele, quando dançavam. Ele gostava quando ela passava óleo nas suas costas. Ela gostava quando, depois de muito tempo calada, ele pegava no seu queixo perguntando — o que foi, guria? Ele gostava quando ela dizia sabe, nunca tive um papo com outro cara assim que nem tenho com você. Ela gostava quando ele dizia gozado, você parece uma pessoa que eu conheço há muito tempo. E de quando ele falava calma, você tá tensa, vem cá, e a abraçava e a fazia deitar a cabeça no ombro dele para olhar longe, no horizonte do mar, até que tudo passasse, e tudo passava assim desse jeito. Ele gostava tanto quando ela passava as mãos nos cabelos da nuca dele, aqueles meio crespos, e dizia bobo, você não passa de um menino bobo.

Como nas outras noites, ele a deixou na porta do bangalô 19, quase cinco da manhã, pela última vez. Mas diferente das outras noites, ela o convidou para entrar. Ele entrou. Tão áspero lá dentro, embora cinco estrelas, igual ao dele. Ele não sabia o que fazer, então ficou parado perto da porta enquanto ela abria a janela para que entrasse aquela brisa morna do mar. Ela parecia de repente muito segura. Ela apertou um botão e, de um gravador, começou a sair a voz de Nara Leão cantando "These foolishing things": coisas-assim-me-lembram-você. Ela veio meio balançando ao som do violão e convidou-o para dançar, um pouco mais. Ele aceitou, só um pouquinho. Ele fechou os olhos, ela fechou os olhos. Ficaram rodando, olhos fechados. Muito tempo, rodando ali sem parar.

Ele disse:

— Eu não vou me esquecer de você.

Ela disse:

— Nem eu.

Ele afastou-a um pouco, para vê-la melhor. Ela sacudiu os cabelos, olhou bem nos olhos dele. Uma espécie de embriaguez. Não só espécie, tanta vodca com abacaxi. Eles pararam de dançar. Nara Leão continuava cantando. A luz da lua entrava pela janela. Aquela brisa morna, que não teriam mais no dia seguinte. Ele a viu melhor, então: uma mulher um pouco magra demais, um tanto tensa, cheia de ideias, não muito nova — mas tão doce. As duas mãos apoiadas nos ombros dele, assim afastando os cabelos, no mesmo momento ela o viu melhor: um homem não muito alto, ar confuso, certa barriga, não muito novo — mas tão doce. Que grande cilada, pensaram. Ficaram se olhando assim, quase de manhã.

Ela não suportou olhar tanto tempo. Virou de costas, debruçou-se na janela, feito filme: Doris Day, casta porém ousada. Então ele veio por trás: Cary Grant, grandalhão porém mansinho. Tocou-a devagar no ombro nu moreno-dourado sob o vestido decotado, e disse:

— Sabe, eu pensei tanto. Eu acho que.

Ela se voltou de repente. E disse:

— Eu também. Eu acho que.

Ficaram se olhando. Completamente dourados, olhos úmidos. Seria a brisa? Verão pleno solto lá fora.

Bem perto dela, ele perguntou:

— O quê?

Ela disse:

— Sim.

Puxou-o pela cintura, ainda mais perto. Ele disse:

—Você parece mel.

Ela disse:

— E você, um girassol.

Estenderam as mãos um para o outro. No gesto exato de quem vai colher um fruto completamente maduro.

***Os dragões não conhecem o paraíso*, 1988**

Sob o céu de Saigon

Esta é talvez a história mais paulistana que escrevi, em 1989. Trata-se mais talvez de um exercício de enfoque, com um narrador imaginário no alto do Conjunto Nacional, onde se cruzam a rua Augusta e a avenida Paulista. Foi publicada no extinto jornal O Continente.

Para Regina Valladares

Ele era um desses rapazes que, aos sábados, com a barba por fazer, sobem ou descem a rua Augusta. Aos sábados quase sempre à tarde, pois pelos óculos muito escuros e o rosto um tanto amassado por baixo da barba crescida, quem olhasse para um deles mais detidamente, mas poucos o fazem, perceberia que dormiu mal ou demais, bebeu na noite anterior, acabou de chorar ou qualquer coisa assim. Costumam usar jeans desbotados, esses rapazes, tênis gastos, camisetas e, quando mais frio, alguma jaqueta ou suéter geralmente puídos nos cotovelos. Quase sempre levam as mãos nos bolsos, o que torna impossível a qualquer um que passa ver melhor suas unhas roídas, seus dedos indicador e médio da mão direita, ou da esquerda, se forem canhotos, amarelados pelo excesso de fumo. Eles olham para baixo, não como se tivessem medo de tropeçar nos solavancos frequentes das calçadas da Augusta, pois raramente usam sapatos, e as solas de borracha dos tênis amoldam-se com certa suavidade às irregularidades do cimento; olham para baixo, e isso seria visível se se pudesse localizar o brilho nos seus olhos de pupilas um tanto dilatadas por trás das lentes escuríssimas dos óculos, como se procurassem tesouros perdidos, bilhetes secretos, alguma joia ou objeto que, mais que valor, guardasse também uma história imaginária ou real, que importa? Mas às vezes olham também para cima, e quando o céu está claro, o que é raro na cidade, pode-se imaginar que suas peles brancas procuram desesperadas e quase automaticamente pela luz do sol. E quando o céu está escuro, o que é bem mais comum, sobretudo nesses sábados em que rapazes assim costumam subir ou descer a rua Augusta, pode-se imaginar que procurem balões juninos, objetos voadores não identificados, paraquedistas, helicópteros camuflados, zepelins ou qualquer outra dessas coisas pouco prováveis de serem encontradas sobrevoando ruas como a Augusta num sábado à tarde. Ou horizontes, talvez busquem horizontes entre o emaranhado de edifícios refletidos nas lentes negras dos óculos que escondem o brilho ou a intenção do fundo dos olhos no momento em que um desses rapazes para na esquina, como se tanto fizesse dobrar à esquerda ou à direita, seguir em frente ou voltar atrás. Por serem como são, seguem sempre em frente, subindo ou descendo a rua Augusta. E por serem tão iguais, quem prestar atenção em algum deles, mas poucas vezes ou nunca alguém o faz, jamais saberá se se trata de muitos ou apenas um. Um único rapaz: este, com a barba por fazer e mãos enfiadas no fundo dos bolsos, que agora, logo depois de cruzar o topo da avenida Paulista, começa a descer a rua Augusta em direção aos Jardins no sábado à tarde.

*

Ela era uma dessas moças que, aos sábados, com uma bolsa pendurada no ombro, sobem ou descem a rua Augusta. Aos sábados quase sempre à tarde, pois pelos óculos muito escuros e o rosto um tanto amassado que a ausência total de maquiagem nem pensou em disfarçar, quem olhar para uma delas mais detidamente, e alguns até o fazem, pedindo telefone ou dizendo gracinhas sem graça, às vezes grossas, porque elas caminham devagar, olhando as coisas, não as pessoas, mas quem olhar com atenção perceberá que dormiu mal ou demais, bebeu na noite anterior, acabou de chorar ou qualquer coisa assim, sem muita importância. Costumam, elas também, usar jeans desbotados, sapatos de salto baixo, às vezes tênis gastos, camisetas ou alguma blusa de musselina, seda, crepe ou outro tecido assim fino, que um rápido olhar mais arguto perceberia de imediato não se tratar de uma prostituta ou empregada doméstica. Pois têm certa nobreza, essas moças, não se sabe se pela maneira altiva como fingem não ouvir as gracinhas que alguns dizem, se pelo jeito firme de segurar a alça da bolsa com seus dedos de unhas sem pintura, conscientes de que são fêmeas e estão na selva. Num súbito encontrão, que não seria impossível, menos aos sábados, é verdade, do que nas sextas-feiras ao meio-dia ou de tardezinha, se alguém arrebatasse a bolsa a uma dessas moças para depois rasgá-la num terreno baldio, ficaria decepcionado com o dinheiro escasso, o talão de cheques sem saldo, uma agenda de poucos compromissos, tickets de metrô, algum livro de poesia, esoterismo ou psicologia, uma foto de criança, raramente de homem, quem sabe um cartão de crédito vencido e entradas para teatro ou show, já usadas. Essas moças não olham para baixo nem para cima: com passo decidido, olham direto para a frente, como se visualizassem além do horizonte um ponto escondido para esses outros que passam quase sempre sem vê-las, para onde se dirigem com seus jeans gastos, suas bolsas velhas, suas peles de nenhum artifício. Dessa nitidez no passo, dessa atrevida falta de artifícios no rosto é que brota quem sabe aquela impressão de nobreza transmitida tão fortemente quando passam, mesmo aos que não as olham nem mexem com elas. Podem parar para folhear revistas estrangeiras em alguma banca, sem jamais comprar nada, deter-se para conferir os preços estampados nas portas dos restaurantes, olhar maçãs ou morangos, tocar rosas ou antúrios, mas geralmente apenas seguem em frente, subindo ou descendo a rua Augusta. Talvez sejam tantas e, se realmente o são, tão parecidas que, se alguém do alto de uma janela no Conjunto Nacional olhasse para baixo e as visse agora, poderia pensar mesmo que são uma só. Uma única moça: esta, com a bolsa velha pendurada no ombro, que depois de cruzar o topo da avenida Paulista começa a descer a rua Augusta em direção aos Jardins no sábado à tarde.

★

E porque o mundo, apesar de redondo, tem muitas esquinas, encontram-se esses dois, esses vários, em frente ao mesmo cinema e olham o mesmo cartaz. "*Love kills, love kills*", ele repete baixinho, sem perceber a moça a seu lado. "*And this is my way*", ela cantarola em pensamento, na versão de Frank Sinatra, não de Sid Vicious, sem perceber o rapaz a seu lado. Outros entram e saem, sem vê-los nem ver-se, remanescentes punks, pregos nas jaquetas, botas pretas, intelectuais de óculos, aros coloridos, paletós xadrez, adolescentes japonesas, casais apertadinhos, elas comendo pipocas, senhoras de saia justa, gente assim, de todo tipo.

E talvez porque rapazes e moças como ele e ela aos sábados à tarde raramente ou nunca se enfiam pelos cinemas, preferindo subir ou descer a rua Augusta olhando as coisas, não as pessoas, os dois se encaminham para as entradas em arco do cinema. Então param e olham para cima, suspirando em suave desespero, um céu tão cinza, como se fosse chover, oh céu tão triste de Sampa.

E então como se um anjo de asas de ouro filigranado rompesse de repente as nuvens chumbo e com seu saxofone de jade cravejado de ametistas anunciasse aos homens daquela rua e daquele sábado à tarde naquela cidade a irreversibilidade e a fatalidade da redondeza das esquinas do mundo — ele olhou para ela e ela olhou para ele.

Ele sorriu para ela, sem ter o que dizer. Ela também sorriu para ele. Mas disse, a moça disse:

— Parece Saigon, não?

— O quê? — ele perguntou sem entender.

Ela apontou para cima:

— O céu. O céu parece Saigon.

Surpreso, e meio bobo, ele perguntou:

— E você já esteve em Saigon?

— Nunca — ela sorriu outra vez. — Mas não é preciso. Deve ser bem assim, você não acha?

— O quê? — ele, que era meio lento, tornou a perguntar.

— O céu — ela suspirou. — Parece o céu de Saigon.

Ele sorriu também outra vez. E concordou:

— Sim, é verdade. Parece o céu de Saigon.

Nesse momento — dizem que cabe aos homens esse gesto, e eles eram mesmo meio antigos — talvez ele tenha pensado em oferecer um cigarro a ela, em perguntar se já tinha visto aquele filme, se queria tomar um café no Ritz, até mesmo como ela se chamava ou alguma outra dessas coisas meio bestas, meio inocentes ou terrivelmente urgentes que se costuma dizer quando um desses rapazes e uma dessas moças ou qualquer outro tipo de pessoa, e são tantos quantas pessoas existem no mundo, encontram-se de repente e por alguma razão, sexual ou não, pouco importa se por alguns minutos ou para sempre, tanto faz, por alguma razão essas pessoas não querem se separar. Mas como ele era mesmo sempre um tanto lento, não perguntou coisa alguma, não fez convite nenhum. Nem ela. Que lenta não era, mas apenas distraída. Ela então sorriu pela terceira vez, e já de costas abanou de leve a mão abrindo os dedos, como Sally Bowles em *Cabaret*, e continuou a descer a rua Augusta. Ele também sorriu pela terceira vez, meio sem jeito como era seu jeito, enfiou as mãos ainda mais fundo nos bolsos, como Tony Perkins em vários filmes, coçou a barba por fazer e resolveu subir novamente a rua Augusta.

Uns cem metros além, ela pela alameda Tietê, ele pela Santos, esse rapaz e essa moça, ou talvez os dois, ou quem sabe até mesmo nenhum, mas de qualquer forma ao mesmo tempo, pensam vagos e sem rancor mas estes sábados sempre tão chatos, porra, nunca acontece nada. Por associação de ideias nem tão estranha assim, ele ou ela, ou nenhum dos dois, talvez olhem ou não para trás procurando quem sabe algum vestígio, um resto qualquer um do outro pela rua Augusta deserta do sábado à tarde.

Mas rapazes e moças assim não costumam deixar rastros, e ambos já tinham sumido em suas esquinas de ladeiras súbitas e calçadas maltratadas. Acima deles, nuvens cada vez mais densas escondem súbitas o anjo. O céu de chumbo, onde não seria surpresa se no próximo segundo explodisse um cogumelo atômico, caísse uma chuva radioativa ou desabasse uma rajada de napalm, parecia mesmo o céu de Saigon, quem sabe pensaram. Embora, de certa forma, eles nunca tivessem estado lá.

***Ovelhas negras*, 1995**

Crônicas

Pequenas e grandes esperanças

Pensando (ou lembrando) bem, não foram tão verdes assim. A memória tem sempre essa tendência otimista de filtrar as lembranças más para deixar só o verde, o vivo. Antigamente, sempre era melhor, ainda que não fosse. Talvez porque já esteja, lá, tudo solucionado e a gente possa se ver, no tempo, como quem vê uma personagem num livro ou filme: aconteça o que acontecer, há um fim definido, predeterminado. Essa espécie de improvisação do agora, do que está sendo moldado, causa muito mais angústia. Não temos, como no samba, a menor ideia de como será o amanhã. Encontrar um único adjetivo para os anos 70 não é tão fácil assim. Facílima é a expressão "anos 70", como se pudéssemos espremer aqueles dez anos em um único significado, ignorando as nuances todas. Os dias em que nada parecia acontecer e não estávamos dentro dos tais anos 70: por trás de circunstâncias históricas, nomes e datas, estávamos dentro de um tempo que ainda não ganhara uma forma exata. Se foram duros? Foram, foram duros. Mas foram também cheios de sonhos e encontros e pequenas e grandes esperanças. Foram anos em que não se podia viver muito para fora: a repressão política nos empurrava para dentro. Nesse movimento, havia duas opções principais e radicais: ou você caía de cabeça nas drogas ou mergulhava na clandestinidade política. O que ligava os dois comportamentos era uma vontade poderosa de mudar o país e o planeta, fosse através do ácido lisérgico nas caixas-d'água das cidades, fosse pela revolução do proletariado. Verde mesmo, verde clarinho, desse quase água, era ter perto de vinte anos e não saber que se sabia muito pouco das ditas coisas da vida. Justamente por isso, enfrentar de peito aberto todos os riscos de dentro ou de fora da própria cabeça, esgueirando-se entre paranoias quase sempre reais. Não tínhamos ainda essas marcas deixadas pelos que desistiram, se mataram, foram presos, torturados, assassinados, enlouqueceram — enquanto dentro de nós pequenas partes iam também desistindo, se matando, sendo presas, torturadas, assassinadas, enlouquecendo. Não ter essas marcas era verde. Verde era ainda estar inteiro e pronto para a luta, embora não parecesse. É por isso que, quando a barra pesa, gosto de pensar que dentro do agora talvez exista também um verde qualquer, que não estamos vendo. Só veremos quem sabe quando pudermos aprisionar estes anos num pacotinho, carimbá-lo e colocar na prateleira da História com o título de "anos 80". Ficarão mais leves, assim batizados?

***Zero Hora*, 04/04/1984**

Pequenas epifanias

Dois ou três almoços, uns silêncios.
Fragmentos disso que chamamos de "minha vida".

Há alguns dias, Deus — ou isso que chamamos assim, tão descuidadamente, de Deus — enviou-me certo presente ambíguo: uma possibilidade de amor. Ou disso que chamamos, também com descuido e alguma pressa, de amor. E você sabe a que me refiro.

Antes que pudesse me assustar e, depois do susto, hesitar entre ir ou não ir, querer ou não querer — eu já estava lá dentro. E estar dentro daquilo era bom. Não me entenda mal — não aconteceu qualquer intimidade dessas que você certamente imagina. Na verdade, não aconteceu quase nada. Dois ou três almoços, uns silêncios. Fragmentos disso que chamamos, com aquele mesmo descuido, de "minha vida". Outros fragmentos, daquela "outra vida". De repente cruzadas ali, por puro mistério, sobre as toalhas brancas e os copos de vinho ou água, entre casquinhas de pão e cinzeiros cheios que os garçons rapidamente esvaziavam para que nos sentíssemos limpos. E nos sentíamos.

Por trás do que acontecia, eu redescobria magias sem susto algum. E de repente me sentia protegido, você sabe como: a vida toda, esses pedacinhos desconexos se armavam de outro jeito, fazendo sentido. Nada de mau me aconteceria, tinha certeza, enquanto estivesse dentro do campo magnético daquela outra pessoa. Os olhos da outra pessoa me olhavam e me reconheciam como outra pessoa, e suavemente faziam perguntas, investigavam terrenos: ah você não come açúcar, ah você não bebe uísque, ah você é do signo de Libra. Traçando esboços, os dois. Tateando traços difusos, vagas promessas.

Nunca mais sair do centro daquele espaço para as duras ruas anônimas. Nunca mais sair daquele colo quente que é ter uma face para outra pessoa que também tem uma face para você, no meio da tralha desimportante e sem rosto de cada dia atravancando o coração. Mas no quarto, quinto dia, um trecho obsessivo do conto de Clarice Lispector — "Tentação" — na cabeça estonteada de encanto: "Mas ambos estavam comprometidos. Ele, com sua natureza aprisionada. Ela, com sua infância impossível." Cito de memória, não sei se correto. Fala no encontro de uma menina ruiva, sentada num degrau às três da tarde, com um cão basset também ruivo, que passa acorrentado. Ele para. Os dois se olham. Cintilam, prometidos. A dona o puxa. Ele se vai. E nada acontece.

De mais a mais, eu não queria. Seria preciso forjar climas, insinuar convites, servir vinhos, acender velas, fazer caras. Para talvez ouvir não. A não ser que soprasse tanto vento que velejasse por si. Não velejou. Além disso, sem perceber, eu estava dentro da aprendizagem solitária do não pedir. Só compreendi dias depois, quando um amigo me falou — descuidado, também — em *pequenas epifanias.* Miudinhas, quase pífias revelações de Deus feito joias encravadas no dia a dia.

Era isso — aquela outra vida, inesperadamente misturada à minha, olhando a minha opaca vida com os mesmos olhos atentos com que eu a olhava: uma pequena epifania. Em seguida vieram o tempo, a distância, a poeira soprando. Mas eu trouxe de lá a memória de qualquer coisa macia que tem me alimentado nestes dias seguintes de ausência e fome. Sobretudo à noite, aos domingos. Recuperei um jeito de fumar olhando para trás das janelas, vendo o que ninguém veria.

Atrás das janelas, retomo esse momento de mel e sangue que Deus colocou tão rápido, e com tanta delicadeza, frente aos meus olhos há tanto tempo incapazes de ver: uma possibilidade de amor. Curvo a cabeça, agradecido. E se estendo a mão, no meio da poeira de dentro de mim, posso tocar também em outra coisa. Essa pequena epifania. Com corpo e face. Que reponho devagar, traço a traço, quando estou só e tenho medo. Sorrio, então. E quase paro de sentir fome.

O Estado de S. Paulo, 22/04/1986

AMIZADE TELEFÔNICA

Palavras, sentido e lógica ganham novos sentidos quando se fala sem se ver.

Amigos telefônicos são preciosos. E, por isso mesmo, raros. Eu tenho três ou quatro, e bastam. Amigo telefônico é assim: você só fala com ele por telefone. Ou fala pessoalmente também, mas é completamente diferente. Quando você encontra muito seguido um amigo telefônico, a amizade se divide em duas amizades paralelas: a que acontece cara a cara e a que acontece telefonicamente. Esta, sempre mais funda. Há coisas que só se diz por telefone: telefone elimina rosto, gesto, movimento: a voz fica absoluta. O que a voz diz, ao telefone, é tudo, porque por trás dela não acontece nada como um franzir de sobrancelhas, um riso no canto da boca. E, se acontece, você não vê. O que você não vê praticamente não acontece. Ou acontece tão vagamente que é como se não.

A gente recorre a amigo telefônico quando alguma coisa não cabe por dentro. Não apenas dor — assim, tipo CVV —, porque, se fosse isso, virava neurose braba, feia. Depois de um certo ponto de aluguel, toda vez que você ligasse, então, seu amigo telefônico ia mandar dizer que não estava. Com toda a razão. A gente recorre a ele também quando alguma coisa *boa* não cabe dentro sozinha: tem que ser dita. Você liga pra dizer que está feliz. Teve uma iluminação, pressentimento, uma fantasia, desejo. As pautas desenvolvidas na amizade telefônica podem ser muito abstratas, entende? E essa é outra das grandes diferenças entre a amizade telefônica e a outra: poder falar de coisas que *quase* aconteceram. Ou que *deviam* acontecer. Um pouco como em carta. Antigamente, a carta era o equivalente do telefone. Quando não tinha telefone — há muitos, muitos anos —, eu tive vários amigos-por-carta. Porque na carta, também, você diz coisas que, cara a cara, nunca seriam dizíveis.

Amigo telefônico é noturno. A vontade de falar com ele costuma acontecer quando não há mais nada interessante na TV, quando todos os livros e todos os discos do mundo não matariam a sede de ouvir uma voz humana dizendo coisas que respondam ou complementem ou rebatam outras coisas que a sua voz vai dizendo. E vai dizendo sem preocupação de ordem, de lógica, de senso. Com amigo telefônico, toda a obrigação de parecer lúcido, consciente & equilibrado é inteiramente desnecessária. Se uma terceira pessoa ouvisse um papo entre dois velhos amigos telefônicos, provavelmente acharia completamente louco. Na amizade telefônica, a lógica é tão sutil que parece não existir. Mas existe.

Há também os silêncios. Silêncio de amizade cara a cara quase sempre soa (?) constrangedor. As pessoas desviam os olhos, acendem cigarros, fazem comentários tipo nada a ver, só pra quebrar o silêncio. Em amizade telefônica, nunca: um fica ouvindo a respiração do outro durante muito tempo. E não precisa dizer nada. A respiração do outro fala: Olha, estou aqui, está tudo bem, seja o que for, vai dar certo, estou atento ao seu coração, você está atento ao meu, e, por estarmos atentos ao coração um do outro, só por isso — ele fica mais leve, o coração.

Agora são sete horas da manhã, estou pensando em meus amigos telefônicos. Mas não telefono. Amigo telefônico costuma dormir até tarde, principalmente às segundas-feiras — porque as noites de domingo — ah, essas, são particularmente telefônicas. E eles são solitários, esses amigos meio estranhos: ouvem vozes. Por isso mesmo, ponho um disco de João Gilberto bem baixinho e dou um beijo a distância na testa de cada um deles. Envio pelo espaço a voz de João para embalá-los nesse sono da manhã feriada e chuvosa. Que nem canção de ninar — me liga, tá?

***O Estado de S. Paulo*, 27/05/1986**

O MISTÉRIO DO CAVALO DE ÉDIPO

A história de um dos maiores enigmas da História: onde Édipo amarrou o seu cavalo?

Perguntou a Medusa para Édipo:

— Escuta aqui, você viu bem *onde* amarrou seu cavalo?

(O cavalo era um Pegasozinho meio de quinta. Mas com asas.)

— Hein? — resmungou Édipo, as rédeas ainda na mão.

— Não faz o distraído comigo que eu te petrifico, viu? — gritou a Medusa, que era muito temperamental. — Te conheço não é de hoje.

— Saco — murmurou Édipo. — Sempre onipotente.

Medusa ficou uma fúria:

— Olha nos meus olhos já! — ordenou. — Direto nos meus olhos, seu panaca. — Ela olhou fundo nos olhos dele. As cobrinhas da cabeça ficaram em pé. — Considere-se petrificado.

— Naja idiota — bocejou Édipo. — Não vê que sou cego?

Medusa bateu na testa:

— É mesmo! Por Juno, eu tinha esquecido.

Sei, sei. O enigma, Tebas, Jocasta, aquela baixaria toda. Cuspiu de lado: — Tarado.

Édipo ia reagir quando chegou Perséfone: percebeu pelo excesso de perfume no ar. Sim, pensou, Perséfone tinha mesmo ficado meio tang demais depois de superada aquela horrível fase dark no Hades.

— Édipo, meu gato! — ela gritou. — Nossa, quanto tempo. Desde aquela tarde em Elêusis, quem diria? — Começou a falar outra abobrinha qualquer, mas interrompeu-se com um grito: — Por Palas-Atena, baby: você viu bem *onde* amarrou seu cavalo?

— Perua! — interrompeu a Medusa. — Eu já dei o toque pra ele.

Perséfone fez que não ouviu. Já tinham rolado uns lances entre elas no verão passado, em Creta (Medusa calçava 52, bico largo). Super-heavy: Perséfone preferiu tirar o time. Mais ainda depois que conhecera Teseu, na musculação. Insistiu, como se Medusa não existisse:

— Mas me diz, meu bem: você viu *onde* amarrou seu cavalo?

— Eu não vejo, pô — rosnou Édipo. — E você que vê, por Cronos, poderia me fazer o enorme favor de dizer, Parcas, onde...

Perséfone era muito dispersiva. Nesse momento olhou para cima e viu o inconfundível acrílico da asa-delta de Ícaro. Chamou:

— Ícaro! Ícaro, desça já-já aqui, seu piradinho!

Ícaro desceu. Não porque tivesse ouvido (ao voar, usava sempre headphones com som de Philip Glass: dava o maior clima), mas por coincidência tinha olhado para baixo e visto os três. Quatro com Pégaso.

— E aí, lasanha? Dando banda? — Perséfone era demais galinha.

— Estou procurando Apolo — respondeu Ícaro, muito digno.

Baixo-astral como era, Medusa não perdeu a oportunidade:

— Apolo? Acabei de vê-lo com Narciso, nos Jardins com as Hespérides. Aliás, nunca vi Narciso tão bonito. Herítia apresentou uns pomos pra eles, e você precisava ver, que gracinha, Apolo dando pedacinhos pra ele...

Ícaro ficou lívido. Estava a ponto de rodar a cariátide quando Perséfone, diplomatiquérrima (era Libra), cortou:

— Você conhece Édipo, Ícaro?

— Prazer — disse Ícaro, estendendo a mão. — Ícaro.

— Édipo — disse Édipo, uma mão nas rédeas, outra tateando no ar. — Escuta, você não é o filho de Dédalo?

— Você conhece meu pai? Ele... — Ícaro parecia encantado, mas interrompeu-se com um grito: — Por Vulcano, Édipo! Você viu bem *onde* amarrou seu cavalo?

Foi então que Édipo sacou que a situação era realmente grave. Soltou as rédeas e disse aquela frase que acabou entrando para a História: — Por Zeus, vocês que veem querem parar com essa galinhagem e me dizer de uma vez por todas: *onde* foi que eu vim amarrar meu cavalo?

***O Estado de S. Paulo*, 15/10/1986**

Com afeto e mau humor

É só de mentirinha. E na boa. Pois como já dizia o Marcelo Paiva: feliz ano velho...

Muito bem, parabéns: você não queria um novo ano? Reclamou tanto do velho, coitado, que assim não dá, pô, é uma atrás da outra, tomara que mude logo. Então mudou, o champanha explodiu, inaugurou: taí o tal de 87. Nas bocas, nas portas, nas datas. Tudo pura formalidade e ti-ti-ti, porque, você sabe, o novo ano só começa mesmo com o Sol a zero grau de Áries, a 22 de março. Primeiro rápidos, normais enganos, os talões de cheques, as datas das cartas (alguém ainda escreve cartas?), depois vai virando arroz de festa. É ele, o novo ano: introjetado até o limite do automatismo.

Seja como for: novo. E sabe o que você vai fazer? Primeiro, você paga o aluguel, que em fevereiro descongela, e este talvez seja o último. Depois você tenta dar uma ordem nas gavetas, e cartas, meu Deus, tantas cartas atrasadas. Aí vem o imposto de renda. Vai rolando, passa uma semana, duas, três. Em fevereiro, você talvez mude de casa, em março pensa em ir até a Bahia, no Carnaval, quem sabe Olinda? Mas não há voos, nunca há voos. E São Paulo vazia até que tudo bem. Dói um pouco, mas a gente aguenta. E esse ano, que não acontece?

Em março você toma um porre e incomoda todo mundo, suja um pouco no edifício, falta ao trabalho. Uma semana paranoica, esperando consequências. Então você emerge, e tudo igual, meu Deus, tudo, tudo igual. Você pensa em voltar à terapia, fazer musculação, cooper, ioga, converter-se ao budismo ou usar um daqueles aparelhos nos dentes que mudam totalmente a personalidade (para melhor, evidente). A crise passa: em abril você se apaixona. Abril não, melhor maio, poesia fácil. Em abril você, severo, se recolhe. Nada de bares, nada de noites: entrega-se a uma daquelas Leituras Que Modificam a Vida. Digamos *Duna*, de Frank Herbert, digamos *A divina comédia*, digamos *Dom Quixote* — qualquer coisa assim: que modifique tudo.

Aí chega maio. E maio é aquele mês em que você se apaixona. Nunca foi assim, nunca desse jeito, nunca. Os olhos brilham, o coração bate taquicárdico. Desta vez vai dar certo, embora ninguém saiba exatamente o que seria dar-certo. Mas desta vez — ah, desta vez — vai dar. Em junho ou julho, alguém te abandona e você quase-quase desmorona. Fazer o que com a poupança reservada pras passagens (duas, só de ida) para as ilhas gregas? Mas você é duro, José: redecorar o apartamento, por que não? Aquela orgia de tapetes, quadros (uma Mira Shendel, enfim!), videocassete, micro-ondas, freezer. Delícia de delírio yuppie.

Em agosto você não aguenta mais. Sempre os agostos. E morre alguém: ai, o tempo, a morte, o ser, o nada. Você geme e geme, mas consegue se arrastar até setembro. Em setembro, nasce alguém. E é tão bonitinho e tão vivinho e cheirosinho com aquele jeitinho de quem nunca viveu picas, o idiota. Quem sabe na mesma época, você começa a se interessar por plantas, ervas, chás, homeopatias. Em outubro você está tão reciclado que decide mudar de vida — e porque este país não dá mais, já que vai mudar de vida, muda também de país. Escreve cartas, dá telefonemas, batalha bolsas. Em novembro, ai, baixa uma preguiça: verão chegando, chope gelado & mulatas. Além do mais, você acaba de conhecer alguém — e desta vez, ah, desta vez, desta vez. Então volta aquela tonteira doce dos dezembros, e, pensando bem, lembrando tudo, até que não foi um mau ano, você reconhece entre vinhos, champanhas e panetones. Falar em champanha, está chegando a hora de abrir mais um. Você suspira, agita a garrafa, pressiona a rolha. Muito bem, parabéns: você não queria um ano novinho em folha? Pois aí está.

P.S. — *Andei num astral tão bom que hoje me deu esta vontade incontrolável de ser um pouco ruim. Sorry: foi incontrolável. Isola!*

O Estado de S. Paulo, 07/01/1987

Uma fábula chatinha

Sentado à beira do caminho, o homem cansado ficou quieto, espiando a vida que passava.

Era uma vez um homem cansado que ia indo por um caminho. Tinha passado do meio-dia, a tarde estava ficando muito quente. No ar azul e claro não soprava nenhum vento. O homem procurou a sombra de uma árvore, sentou e ficou ali, quieto.

Até que passou um surfista. Ia de moto, sem camisa, a bermuda colorida, a prancha amarrada na garupa da moto. Abanou para o homem sentado, mas ele não se mexeu.

"Coitado" — pensou o homem. — "Vai indo assim todo animado. Parece que não sabe que vai morrer um dia."

Remexeu a areia com um pedacinho de pau, mas sem prestar atenção. Então passou uma velhinha que parecia saída de um livro de histórias infantis. Usava um vestido escuro, comprido, e carregava no ombro uma dessas latas de metal, cheia de leite. Caminhava muito depressa.

"Coitada" — pensou o homem. — "Velha desse jeito, pra que tanta pressa? A morte vai chegar logo — e aí?"

Acendeu um cigarro, ficou soltando anéis de fumaça contra o céu cada vez mais azul. Aí passaram duas moças de braço dado. Parecia que recém-tinham tomado banho, tão fresquinhas estavam. Os cabelos ainda molhados brilhavam ao sol. Cochichavam e riam muito, olhando o homem sentado, que nem olhava para elas.

"Coitadas" — o homem pensou. — "Tão assanhadinhas. Ah, se elas soubessem que a morte existe e pode chegar a qualquer momento..."

Ficou um rastro de perfume no ar, mas ele nem respirou mais fundo nem nada. De repente um passarinho começou a cantar, no galho bem acima dele. Ouviu um pouco, depois cuspiu de lado.

"Coitado" — o homem pensou. — "Esse idiotinha fica cantando à toa, de repente vem um moleque, joga uma pedra e pronto, acabou."

Estendeu as pernas, mas logo as recolheu assustado. De longe, vinha um barulho forte como o de um exército em marcha. O homem fixou bem os olhos na curva da estrada. Até que apontou um elefante lá longe. Depois vieram tigres, macacos, camelos, mágicos, equilibristas: era um circo passando. Os palhaços fizeram micagens especiais para ele, mas o homem não deu atenção. A bailarina, equilibrada num pé só sobre o pônei branco, jogou uma rosa vermelha de tule a seus pés, mas ele não apanhou.

"Coitados" — pensou o homem. — "Quanta ilusão. Um dia o circo pega fogo, a morte chega e de que serviu essa alegria toda?"

Com a ponta do pé, empurrou para longe a rosa vermelha. Nesse momento, ia passando um casal de namorados. O rapaz pegou a rosa, sacudiu para afastar a poeira, depois colocou-a nos cabelos da moça. Ela sorriu, e agradeceu com um beijo. Ele respondeu com outro, ela com outro — e assim foram indo, aos beijos, até sumirem.

"Coitados" — pensou o homem. — "Amor, amor: não tem besteira maior. Casam, têm filhos, ficam velhos, doentes. Um dia morrem e pronto."

A tarde quase já tinha virado noite, quando um vulto encapuzado veio se aproximando. Ele precisou apertar os olhos para ver melhor. Mesmo assim, não via direito a cara do vulto que se aproximava cada vez mais, até parar bem na frente dele.

— Quem é você? — o homem perguntou.

A figura afastou o capuz, mostrou os dentes arreganhados e disse:

— Sou a Morte. Posso sentar ao seu lado?

O homem deu um pulo.

— Não — ele disse. — Já está ficando tarde e eu ainda tenho muito o que fazer.

Virou as costas e saiu correndo, sem olhar para trás.

***O Estado de S. Paulo*, 15/04/1987**

Querem acabar comigo

A gente corre. Para ganhar ou perder a vida? Resta cantar aquele velho Roberto Carlos.

São nove horas da manhã de segunda-feira. Estou sentado aqui na escrivaninha, mas hoje não tenho nada a dizer. Quase nada. Ou o que teria a dizer são as coisas que só interessam a mim, não a quem lê. Então, hoje vocês vão ter paciência comigo. Hoje tem sessão queixa.

Andei fazendo contas: há treze meses escrevo aqui, uma vez por semana. São pelo menos cinquenta e duas semanas, pelo menos cinquenta e duas crônicas como esta. Eu acho muito. É que nem sempre consigo escrever sem sofrer um pouco. Mesmo quando até me divirto, sempre é necessário remexer um pouco mais fundo, e remexer mais fundo cansa. Ando cansado. Porque não é muito simples escrever, não é assim: você senta, põe papel na máquina e escreve. Às vezes não vem nada. Outras, vem confusamente. Só depois de escrever três ou quatro laudas aparece uma frase — e essa frase é a coisa, o resto não interessa.

Escrevo geralmente aos domingos, ou às segundas de manhã. Mas desde a quinta ou sexta-feira começo a sofrer vagamente. Nos últimos tempos tem sido mais grave. Porque ando muito — digamos — espantado com o mundo, daquele jeito que só dá vontade de olhar para ele (às vezes nem isso), sem nenhum comentário a fazer. Escrevo lento demais, preciso de tempo para pensar, reler, reescrever. Um domingo inteiro nem sempre basta. Há treze meses não tenho domingos — aquele dia em que os outros vão ao cinema, namoram, visitam amigos. Os outros, não eu. Eu fico em casa, escrevendo. O mais complicado é que, para escrever, é preciso ver o mundo. Aos domingos ou nos outros dias. Ir ao cinema, namorar, visitar amigos — essas coisas. Não se arrancam palavras do nada: as palavras brotam de coisas e seres viventes. Há cinquenta e duas semanas, vivo muito pouco. Porque, além desta crônica, fico no mínimo seis horas diárias dentro do jornal. E jornal — quem não sabia fique sabendo — acaba com a cabeça (e o corpo) de qualquer um.

Essa escassez de tempo está clara agora, pouco mais de nove horas da manhã de segunda-feira, na desordem absoluta sobre a escrivaninha. Pilhas de cartas não respondidas, livros que só comecei a ler e não consigo terminar (uma Susan Sontag aqui, um Edmund Wilson ali), se olhar para o lado, há também pilhas de discos não ouvidos (conseguisse alguns segundos para aquele U2, aquele Raul Seixas...). E a vida gritando nos cantos.

Os amigos se queixam: você não telefona, não aparece. Tem gente que pede release, reportagens, textos os mais diversos, apresentações para exposições, ler originais, e os que exigem coisas do tipo: você não vem ver minha peça? Como bom ascendente Libra, não sei dizer não. Digo sempre sim, depois não consigo cumprir. Cobram, cobram. Ultimamente, toda vez que o telefone toca, já sei: é alguém pedindo alguma coisa. Têm me pedido muito, ultimamente. E dado pouco. Normal: gente é assim mesmo.

Agora você me pergunta: bom, e daí? Daí que ando cansado. Hoje estou me permitindo escrever sobre este cansaço indivisível, sobre minha falta de tempo, sobre a desordem que se instaurou em minha vida. Por trás disso tudo, o mais perigoso espreita: a grande traição que estou cometendo, todo dia, comigo mesmo. Porque escrevendo assim, para sobreviver, não escrevo o que me mantém vivo — outras coisas que não estas.

O relógio avançou. Já cheguei às minhas cinquenta linhas semanais. Amanhã vamos embrulhar peixe na feira. Tomo um café, acendo um cigarro. Durante um minuto, fico pensando em parar.

Parar como param os monges budistas. Parar e olhar. Só um minuto. Pronto: agora tenho que sair correndo outra vez para ganhar a vida. Ganhar ou perder? Eu sei a resposta. Mas posso cantar baixinho um velho Roberto Carlos, aquele assim: "Querem acabar comigo/ isso eu não vou deixar". Juro que não.

O Estado de S. Paulo, 29/04/1987

Verão de julho

Permitido se apaixonar, pular corda, votar para presidente, dançar valsa e rock and roll.

Você já ouviu falar em "verão de maio"? Claro que sim. Até eu, lá pelos meus treze anos, fiquei tão fascinado por essa poesia fácil que cheguei a cometer uma novela com esse título. Escrita na fronteira da Argentina, passava-se não ali, mas na Suíça. Que nada para mim, naquele tempo, capaz de ser "artístico" ou "literário" podia passar em outro lugar que não a Europa. Burrices e frescuras à parte, a novela era péssima. Graças a Deus, perdeu-se. A expressão ficou. E voltou com força nestes dias paulistanos bêbados de luz.

Como o tempo desta cidade é louco, e escrevo isto na sexta, para sair na quarta, pode ser que tudo tenha mudado e hoje esteja cinza como só São Paulo sabe ser. Sabe ser azul também, e, galopando na crista descabelada destas duas últimas semanas de cores e de cheiros, me peguei pensando no verão de julho, não de maio. Como um presente que alguém mandou pra gente. Seguinte, ó, a barra tá tão pesada lá embaixo, vamos providenciar rápido um veranico pra essa gente, antes que venha agosto.

Sopro de energia, dose de guaraná em pó, beijo na boca — de agora em diante, a partir deste ano (sem) graça de 87, fica decretado que todo mês de julho (mas pode ser junho, agosto, pode ser sempre, quando as almas andarem escuras e as pessoas não se amarem mais) haverá dez ou quinze dias de sol (dependendo do peso da barra a ser aliviado) e luz para que todos enlouqueçam um pouco de prazer. Se possível que esses dias coincidam com a lua cheia, e, se possível ainda, em trânsito por signos doces como Câncer, musicais como Libra, afetuosos como Touro ou divertidos como Sagitário. Nesse período, ficam intimados os humanos a interromper as dores, a esquecer as mágoas, a adiar as dívidas, a perdoar os outros. Ficam intimados os humanos a se tornar cancerianamente suaves, a cantarolar quaisquer canções, mesmo as tolas, mesmo desafinadas, como librianos. A se apaixonar feito taurinos e a falar abobrinhas hilariantes, feito sagitarianos.

Fica autorizado aos humanos, principalmente aos paulistanos, relaxar um pouco nas suas obrigações (é permitido faltar um dia ou pelo menos uma tarde ao serviço). A ser mais complacente com os outros e consigo próprio. A deixar pelo menos um dia a barba e a cama por fazer. Certa preguiça fica autorizada. Mas não a ponto de o sono ultrapassar as manhãs, porque grandes energias estarão concentradas no primeiro raio de sol, no primeiro canto de pássaro. Abusar um pouco da cerveja e do vinho branco gelados, é permitido. E dos sorvetes, dos morangos com chantilli, das peras d'agua. Aconselhável ver e rever qualquer filme de Woody Allen, preferir *Branca de Neve* a *O declínio do império americano*, Rita Lee a Nana Caymmi, Fred Astaire a Tom Waits, a telenovela *Helena* a *O outro*, Fellini a Bergman — e tudo, tudo o que for mais dia que noite, mais açúcar que sal, mais azul-clarinho que roxo ou preto.

O vírus da aids será enjaulado: permitidas as paixões devastadoras, os suspiros amorosos, permitidos os amassos, as cantadas, as paqueras e todas as suas consequências

— desde que gostosas. Aconselhável vadiar pelas praças, respirar o cheiro de pipoca das esquinas, olhar vitrinas, acreditar em Deus, sorrir para desconhecidos, acender todas as luzes da casa à noite, dar interurbanos repentinos (as tarifas serão mais baixas) para Nova York, Berlim ou Júpiter. Dançar valsa e rock. Dançar valsa e rock and roll, andar de bicicleta, pular corda, girar o bambolê, procurar óvnis no céu, alimentar cachorros vagabundos. Tudo isso e muito mais será permitido e recomendável nesses dias em que palavras como *crise*, *inflação* e *recessão* serão sumariamente riscadas dos dicionários, bem como demitidos seus proferidores. Votar para presidente é permitido.

Serão assim os verões de julho, de agora em diante. Que fique registrado em ata. Que se cumpra, que dure fora e dentro de cada um. Amém.

***O Estado de S. Paulo*, 22/07/1987**

Que depois de me ler

Você fique feliz, compre uma metralhadora, embarque para Paris, boceje. E me perdoe.

Hoje quero escrever qualquer coisa tão iluminada e otimista que, logo depois de ler, você sinta como uma descarga de adrenalina por todo o corpo, uma urgência inadiável de ser feliz. Ser feliz agora, já, imediatamente. E saia correndo para dar aquele telefonema, marcar um encontro, armar um jantar, quem sabe um beijo; para comprar aquela passagem de avião, embarcar hoje mesmo para Nova York, Paris, Honolulu. Tão revigorado e seguro — depois de me ler — que nada, absolutamente nada, dará errado: ela (ou ele) atenderá com prazer (em todos os sentidos) ao seu chamado, haverá saldo no banco para a passagem e muitos dólares. Tudo se organizará rápida e meio magicamente, como se todos os astros e todos os deuses só esperassem por um movimento seu para derramar sobre sua cabeça, digamos, uma cornucópia de bem-aventuranças.

Só não sei bem que palavras usaria. Por não sabê-las, penso: se não conseguir escrever nada tão desvairadamente feliz, talvez consiga o contrário. Um texto terrivelmente melancólico, então. Que, depois de ler, você chore lágrimas sentidas (chorar é bom, libera energia escura, expulsa venenos que não sairiam do corpo de outra forma). Que você rememore todas as perdas, uma por uma, e pense também na dor física, na solidão sem remédio, na morte inevitável. Para piorar tudo, pense também nisso que chamam de "os destinos do país".

Por falar em “destinos do país”, posso tentar, quem sabe, uma coisa mais social. Totalmente social, tão social quanto comício com a Lucélia Santos. Descrever com minúcias odiosas famílias inteiras morando embaixo das marquises do Conjunto Nacional. Falar naquele mendigo com quem cruzei ontem na cidade e, sem querer, vi remexendo nos sacos de lixo da calçada, enfiando as mãos de unhas imundas em restos de arroz azedo. Seria esse um texto cheio de piedade e ira, de náusea e revolta. Que, depois de ler, você ficasse tanto com os olhos marejados de lágrimas quanto com o coração fervilhante de ódio. E saísse correndo para fazer alguma coisa (tão abstrato “fazer alguma coisa”). Pegar em armas, por exemplo. Dar seu dinheiro (você tem algum? parabéns) para A Causa do Povo.

Talvez não consiga. Não, decididamente não vou conseguir: quem sabe tento o hermetismo? Com palavras sonoras, milimetradas. Que você ao lê-las tenha vontade de escandi-las (nunca pensei que fosse capaz desta sintaxe janista...), batendo os dedos no tampo da mesa. Palavras frementes de climas, a mata amazônica ao lado de um deserto marciano e, logo a seguir, um coração em chamas junto de uma frígida reflexão cibernética. Não haveria emoção: só ritmo. Não haveria sentido: só forma.

Dá vontade de escrever carta, dizendo coisas que as pessoas não dizem mais, porque seriam coisas que só se dizem por carta, não por telefone, e ninguém escreve mais carta, só telefona, e portanto há coisas que não são mais ditas entre as pessoas. Que coisas, não sei ao certo. Que hoje não consigo quase nada, além de pensar vadio. Isso, aquilo: perdoe.

Como você consegue, como você consegue?, perguntariam. Acontece que também não consigo. É que hoje estou suspenso. O dia deu em chuvoso, como no poema de Fernando Pessoa. Meio-dia em ponto, a mala para arrumar (viver é sempre meio Pessoa) e visitar o baú (meu terapeuta descobriu que Porto Alegre para mim é um baú), sentado em frente à janela, a cabeça fica borboleta. Lembro de coisas inesperadas como os pés de meu pai, de repente sou tomado por louca compaixão pelos pés de meu pai, pés cansados de homem de quase setenta anos, pés que devem sentir muito frio em agosto. Quando começo a considerar a possibilidade de dar um par de meias a ele (nunca fui muito bom em presentes) no Dia dos Pais, a cabeça dispara e lembro que preciso encontrar urgente aquela Nana Caymmi cantando "Copacabana", se não morro. E prometi levar o Bukowsky em quadrinhos para meu irmão Felipe (o mais bukowskiano de todos os irmãos), e preciso dar uns dez telefonemas, inclusive para Silvia Simas, que me abandonou, então não ligo. Pronto, acabou: não preciso ligar para ninguém, já que ninguém liga para mim. Então vem na memória Maria Julieta Drummond de Andrade, vem uma dor fininha junto. Linda, ela.

O *Estado de S. Paulo*, 12/08/1987

Carlos chega ao céu

E olhando aquele nuvenzal todo, comenta: "Gente, não é que virei mesmo eterno?"

Lá no céu, Cecília Meireles acorda cedinho. Mais cedo ainda do que de costume, que ela gosta de espiar os querubins tontinhos de sono. Mas hoje é dia especial. Cecília prende os cabelos, depois toma sua homeopatia (será Dulcamara? Daqui não dá pra ver — pode até ser Stramonium) e lava devagar o rosto na água do arco-íris. Bebe seu chazinho de pétalas de rosa branca — amarela não, que dá azia. Escova devagar as asas, pluma por pluma. Só depois de bem bonita é que bate de leve na porta da nuvem ao lado. Dentro, um resmungo mal-humorado.

É Vinicius de Moraes, que virou a noite com o arcanjo Gabriel, conhecendo as bocas da zona da Ursa Maior, aquela louca pirada. Mesmo de ressaca, o Poetinha acorda. "É hoje" — sussura Cecília na janela que Vinicius abre, ainda de pijama, as asas desgrenhadas, um bafo de estrelas cadentes que Cecília até disfarça, vira o rosto. Vinicius se espreguiça. "Ô xará, não é que é mesmo hoje?" E vai correndo se aprontar.

De braços dados, os dois vão bater à porta da nuvem de Manuel Bandeira. Mas nem era preciso. Manuel já está aceso, debruçado na janela, o nariz um pouco vermelho, fungando e tomando o café quente que Irene acabou de preparar. "É hoje" — dizem Cecília e Vinicius. Manuel funga: "E eu não sei, gente? Daqui a pouquinho." Os três ficam em silêncio, o coração deles começa a bater no mesmo compasso (dodecassílabo? daqui não dá para ouvir direito). Então eles olham para baixo, em direção ao planeta Terra, que gira e gira, meio bobo de tão azul.

Aí uma nuvem dourada lá embaixo começa a ficar cada vez mais dourada, a chegar cada vez mais perto. Brilha tanto que os três quase se assustam, até reconhecerem São Pedro na direção. Que pena, não dá mais tempo de chamar Pedro Nava. A nuvem aterrissa, São Pedro abre a porta. Um pouco encabulado, atrapalhado com as asas, cabeça baixa. Carlos Drummond de Andrade desce e põe os pés no céu. "Não é que virei mesmo eterno?" — comenta, olhando aquele nuvenzal todo. Então vê os três. Tanto tempo, pois é, tanto tempo, pensei que nem vinha mais. Cecília, você não mudou nada, e essa barriga, Poetinha? Não toma jeito, curou a tosse, Bandeira? Tá mais magro, Carlos, e a Dolores? Vai bem, mandou lembrança, qualquer dia chega por aqui. Irene traz mais café, bem preto, bem forte. Vinicius dá um jeitinho de virar no café uma talagada de uísque da garrafinha que carrega sempre, disfarçada sob a asa esquerda. Os quatro brindam, olhos molhados de saudade satisfeita.

Depois olham pro mundo aqui de baixo, que gira e gira, todo azul, assim de longe, e esperam um pouquinho, enquanto bebem o café, até conseguirem localizar, entre as nuvens, a América do Sul. Custa um pouco para encontrarem, quase no extremo sul dessa América, um pontinho luminoso chamado Porto Alegre e, bem no centro do coração dessa cidade, um velhinho de cara sapeca, parado em frente a um porta-retratos com a foto da Bruna Lombardi. É o Mário Quintana — eles sabem —, ou será o Anjo Malaquias? (isso nunca ninguém soube). Cecília,

Vinicius, Manuel e Carlos sorriem mansinho, espiando Mário lá do céu, lá de cima.

Mas a Terra — tão azul assim, vista de longe, vista de cima — eles olham com pena. Sabem que pelo menos metade desse azul todo, depois que eles se foram, brota dali, do quartinho do Mário. Aí suspiram, tadinho, que barra! Um anjo torto vem pedir autógrafo de Carlos. "Desguia" — avisa Vinicius. — "Um chato, maior aluguel." Carlos pergunta de Maria Julieta, Manuel diz que leva ele até lá. Cecília tem um almoço com Clarice e Ana Cristina.Vinicius não sabe se dorme mais um pouco ou se pega o Leon Eliachar para irem até a casa da Elis — será que já acordou, a diaba? —, tá com samba novo na cabeça, precisa cruzar com a Clementina.

Cá embaixo, no centro do coração gelado do pontinho luminoso chamado Porto Alegre, pleno agosto, Mário Quintana abre a janela, olha para cima e dá uma piscadinha.

Danados, pensa, que danadinhos. O dia parece tão cinzento que não resiste à tentação de escrever um poema. Bem curtinho, bem feliz. Entre lá e cá, girando e girando sem parar, feito louca. A Terra também não resiste. De puro gosto, fica ainda mais azul — você viu?

***O Estado de S. Paulo*, 26/08/1987**

Na terra do coração

Nave, ninho, poço, mata, luz, abismo, plástico, metal, espinho, gota, pedra, lata.

Passei o dia pensando — coração meu, meu coração. Pensei e pensei tanto que deixou de significar uma forma, um órgão, uma coisa. Ficou só som-cor, ação — repetido, invertido — ação, cor — sem sentido — couro, ação e não. Quis vê-lo, escapava. Batia e rebatia, escondido no peito. Então fechei os olhos, viajei. E como quem gira um caleidoscópio, vi:

Meu coração é um sapo rajado, viscoso e cansado, à espera do beijo prometido capaz de transformá-lo em príncipe.

Meu coração é um álbum de retratos tão antigos que suas faces mal se adivinham. Roídas de traça, amareladas de tempo, faces desfeitas, imóveis, cristalizadas em poses rígidas para o fotógrafo invisível. Este apertava os olhos quando sorria. Aquela tinha um jeito peculiar de inclinar a cabeça. Eu viro as folhas, o pó resta nos dedos, o vento sopra.

Meu coração é o mendigo mais faminto da rua mais miserável.

Meu coração é um ideograma desenhado a tinta lavável em papel de seda onde caiu uma gota d'água. Olhado assim, de cima, pode ser Wu Wang, a Inocência. Mas tão manchado que talvez seja Ming I, o Obscurecimento da Luz. Ou qualquer um, ou qualquer outro: indecifrável.

Meu coração não tem forma, apenas som. Um noturno de Chopin (será o número 5?) em que Jim Morrison colocou uma letra falando em morte, desejo e desamparo, gravado por uma banda punk. Couro negro, prego e piano.

Meu coração é um bordel gótico em cujos quartos prostituem-se ninfetas decaídas, cafetões sensuais, deusas lésbicas, anões tarados, michês baratos, centauros gays e virgens loucas de todos os sexos.

Meu coração é um traço seco. Vertical, pós-moderno, coloridíssimo de neon, gravado em fundo preto. Puro artifício, definitivo.

Meu coração é um entardecer de verão, numa cidadezinha à beira-mar. A brisa sopra, saiu a primeira estrela. Há moças nas janelas, rapazes pela praça, tules violeta sobre os montes onde o sol se pôs. A lua cheia brotou do mar. Os apaixonados suspiram. E se apaixonam ainda mais.

Meu coração é um anjo de pedra com a asa quebrada.

Meu coração é um bar de uma única mesa, debruçado sobre a qual um único bêbado bebe um único copo de bourbon, contemplado por um único garçom. Ao fundo, Tom Waits geme um único verso arranhado. Rouco, louco.

Meu coração é um sorvete colorido de todas as cores, é saboroso de todos os sabores. Quem dele provar será feliz para sempre.

Meu coração é uma sala inglesa com paredes cobertas por papel de florzinhas miúdas. Lareira acesa, poltronas fundas, macias, quadros com gramados verdes e casas pacíficas cobertas de hera. Sobre a renda branca da toalha de mesa, o chá repousa em porcelana da China. No livro aberto ao lado, alguém sublinhou um verso de Sylvia Plath: "*I'm too pure for you or anyone.*" Não há ninguém nessa sala de janelas fechadas.

Meu coração é um filme *noir* projetado num cinema de quinta categoria. A plateia joga pipoca na tela e vaia a história cheia de clichês.

Meu coração é um deserto nuclear varrido por ventos radioativos.

Meu coração é um cálice de cristal puríssimo transbordante de licor Strega. Flambado, dourado. Pode-se ter visões, anunciações, pressentimentos, ver rostos e paisagens dançando nessa chama azul de ouro.

Meu coração é o laboratório de um cientista louco varrido, criando sem parar Frankensteins monstruosos que sempre acabam por destruir tudo.

Meu coração é uma planta carnívora morta de fome.

Meu coração é uma velha carpideira portuguesa, coberta de preto, cantando um fado lento e cheia de gemidos — *ai de mim! ai, ai de mim!*

Meu coração é um poço de mel, no centro de um jardim encantado, alimentando beija-flores que, depois de prová-lo, transformam-se magicamente em cavalos brancos alados que voam para longe, em direção à estrela Vega. Levam junto quem me ama, me levam junto também.

Faquir involuntário, cascata de champanha, púrpura rosa do Cairo, sapato de sola furada, verso de Mário Quintana, vitrina vazia, navalha afiada, figo maduro, papel crepom, cão uivando pra lua, ruína, simulacro, varinha de incenso. Acesa, aceso — vasto, vivo: meu coração teu.

***O Estado de S. Paulo*, 10/02/1988**

De laços, de seios, sábados e tormentas

Era uma vez um sábado de abril. Sábado é sempre sábado, igual em Paris, Porto Alegre ou Cingapura. Sempre no ar aquela expectativa — pizza, cinema ou beijo, não importa — de uma gota de mel para o domingo. Comprei o *Le Monde* e o *Libération*, sentei no café da esquina para praticar meu mórbido e pátrio esporte diário: procurar notícias do Brasil, que não desato esse laço. Nunca tem. Mas desta vez — explosão! como diria Clarice Lispector — ah, desta vez sim, bem grande no alto da última página: BRÉSIL. Adiei a voracidade, pedi outro café, fui ao toalete fazer nada, acendi um cigarro, sorri para uma alemã e depois de uns dez minutos, absolutamente natural, só o coração batendo secreto me denunciaria, peguei e li sem fôlego, morto de sede e saudade.

Olinda, uma das cidades mais belas que conheço, patrimônio histórico da humanidade. Periferia de Olinda, Recife, Pernambuco, Nordeste do Brasil, América do Sul. Um seio amputado no lixo. Fome, miséria. Tamanho horror que minha forma mais eficiente de reproduzi-lo é repetir sua síntese aqui assim numa única linha para que fique bem claro e medonho e irrecusável na sua hediondez que ofende a todos nós:

Canibalismo em Olinda.

Voltei ao toalete para fazer aquilo que os bebês e os bêbados fazem muito, embora tenha passado dos quarenta e, hoje, só bebi café e vitamina C. Dobro o jornal com cuidado e vergonha, para que ninguém leia. Capricho na pronúncia ao pedir a conta, para que não suspeitem de onde venho e saio de fininho. Ando sem rumo por Alesia até me atrasar para a entrevista. Eva Louzon, apaixonada pelo Brasil, faz milhares de perguntas, eu falo do Sol, da energia bruta da terra — axé! axé-que-aqui-não-tem! —, de Machado e Rubem F. e Lygia Fagundes e Hilda Hilst e muita música, Gal, Bethânia e Calcanhotto, cascatas, araras, essas praias murmurantes aonde a lua vem brincar e futuro resplandecente. Um dia, um dia. Tropeço por brasilidades histéricas, fumo demais. No metrô um punk antigo demi-moicano ameaça com navalha quem não dá dinheiro. Não dou, faço o invisível, sempre funciona. Desabo no Marais de tardezinha.

Um postal de Isabelle Adjani como Emily Brontë, uma antologia de contos gay organizada por David Leavitt. Podia visitar sem aviso Betty Milan, que mora na esquina, telefonar para qualquer um, em português, assistir *Jeanne la Pucelle*, Sandrine Bonnaire como meu ídolo de infância, Joana d'Arc na versão de Érico Veríssimo. Não faço nada: cinemas cheios demais, ruas cheias demais. Quero voltar para casa, ver TV até a imbecilidade, dormir sem sonhos. Alguma coisa me falta, desesperadamente.

Estou perdido. Atravesso pontes, viro esquinas medievais. O dia é cinza e frio como as cinzas dos borralhos. Quero qualquer coisa que não tenho agora, um país, uma língua, um amor, nesta cidade estrangeira quero me jogar no Sena, me embriagar alucinadamente. Então eu paro e olho a rua, a casa em frente.

Quai de Bourbon, número 19. Uma placa diz que ali viveu Camille Claudel. Mais abaixo esta frase dela — "Il y a toujours quelque chose d'absent qui me tourmente" (Existe sempre alguma coisa ausente que me atormenta)

— escrita exatamente há 108 anos. Mas já vivi isso, penso, por que outra vez? Quero acender uma vela pela alma de Camille, a multidão de japoneses barra a entrada de Notre-Dame. Amanhã, amanhã sem falta em Saint-Germain-des-Prés. Volto pelos túneis cheios de namorados. O sábado, o mel. O Brasil me falta e dói como dizem doer a ausência de um membro amputado, o seio no lixo, o tormento e a tormenta nas esquinas de Pernety, eu repito e repito o horror que ofende a todos nós:

Canibalismo em Olinda.

E, no entanto, eu não desato esse laço. Tão apertado, parece forca.

***O Estado de S. Paulo*, 01/05/1994**

Primeira carta para além do muro

Alguma coisa aconteceu comigo. Alguma coisa tão estranha que ainda não aprendi o jeito de falar claramente sobre ela. Quando souber finalmente o que foi, essa coisa estranha, saberei também esse jeito. Então serei claro, prometo. Para você, para mim mesmo. Como sempre tentei ser. Mas por enquanto, e por favor, tente entender o que tento dizer.

É com terrível esforço que te escrevo. E isso agora não é mais apenas uma maneira literária de dizer que escrever significa mexer com funduras — como Clarice, feito Pessoa. Em Carson McCullers doía fisicamente, no corpo feito de carne e veias e músculos. Pois é no corpo que escrever me dói agora. Nestas duas mãos que você não vê sobre o teclado, com suas veias inchadas, feridas, cheias de fios e tubos plásticos ligados a agulhas enfiadas nas veias para dentro das quais escorrem líquidos que, dizem, vão me salvar.

Dói muito, mas eu não vou parar. A minha não desistência é o que de melhor posso oferecer a você e a mim neste momento. Pois isso, saiba, isso que poderá me matar, eu sei é a única coisa que poderá me salvar. Um dia entenderemos talvez.

Por enquanto, ainda estou um pouco dentro daquela coisa estranha que me aconteceu. É tão impreciso chamá-la assim, a Coisa Estranha. Mas o que teria sido? Uma turvação, uma vertigem. Uma voragem, gosto dessa palavra que gira como um labirinto vivo, arrastando pensamentos e ações nos seus círculos cada vez mais velozes, concêntricos, elípticos. Foi algo assim que aconteceu na minha mente, sem que eu tivesse controle algum sobre o final magnético dos círculos içando o início de outros para que tudo recomeçasse. Todos foram discretos, depois, e eu também não fiz muitas perguntas, igualmente discreto. Devo ter gritado, e falado coisas aparentemente sem sentido, e jogado coisas para todos os lados, talvez batido em pessoas.

Disso que me aconteceu, lembro só de fragmentos tão descontínuos que. Que — não há nada depois desse *que* dos fragmentos — descontínuos. Mas havia a maca de metal com ganchos que se fechavam feito garras em torno do corpo da pessoa, e meus dois pulsos amarrados com força nesses ganchos metálicos. Eu tinha os pés nus na madrugada fria, eu gritava por meias, pelo amor de Deus, por tudo que é mais sagrado, eu queria um par de meias para cobrir meus pés. Embora amarrado como um bicho na maca de metal, eu queria proteger meus pés. Houve depois a máquina redonda feito uma nave espacial onde enfiaram meu cérebro para ver tudo que se passava dentro dele. E viram, mas não me disseram nada.

Agora vejo construções brancas e frias além das grades deste lugar onde me encontro. Não sei o que virá depois deste agora que é um momento após a Coisa Estranha, a turvação que desabou sobre mim. Sei que você não compreende o que digo, mas compreenda que eu também não compreendo. Minha única preocupação é conseguir escrever estas palavras — e elas doem, uma por uma — para depois passá-las, disfarçando, para o bolso de um desses que costumam vir no meio da tarde. E que são doces, com suas maçãs, suas revistas. Acho que serão capazes de levar esta carta até depois dos muros que vejo a separar as grades de onde estou daquelas construções brancas, frias.

Tenho medo é desses outros que querem abrir minhas veias. Talvez não sejam maus, talvez eu apenas não tenha compreendido ainda a maneira como eles são, a maneira como tudo é ou tornou-se, inclusive eu mesmo, depois da imensa Turvação. A única coisa que posso fazer é escrever — essa é a certeza que te envio, se conseguir passar esta carta para além dos muros. Escuta bem, vou repetir no teu ouvido, muitas vezes: a única coisa que posso fazer é escrever, a única coisa que posso fazer é escrever.

***O Estado de S. Paulo*, 21/08/1994**

Última carta para além dos muros

Porto Alegre — Imagino que você tenha achado as duas cartas anteriores obscuras, enigmáticas como aquelas dos almanaques de antigamente. Gosto sempre do mistério, mas gosto mais da verdade. E por achar que esta lhe é superior te escrevo agora assim, mais claramente. Não vejo nenhuma razão para esconder. Nem sinto culpa, vergonha ou medo.

Voltei da Europa em junho me sentindo doente. Febres, suores, perda de peso, manchas na pele. Procurei um médico e, à revelia dele, fiz O Teste. Aquele. Depois de uma semana de espera agoniada, o resultado: HIV positivo. O médico viajara para Yokohama, Japão. O teste na mão, fiquei três dias bem natural, comunicando à família, aos amigos. Na terceira noite, amigos em casa, me sentindo seguro — enlouqueci. Não sei detalhes. Por autoproteção, talvez, não lembro. Fui levado para o pronto-socorro do Hospital Emílio Ribas com a suspeita de um tumor no cérebro. No dia seguinte, acordei de um sono drogado num leito da enfermaria de infectologia, com minha irmã entrando no quarto. Depois, foram 27 dias habitados por sustos e anjos — médicos, enfermeiras, amigos, família, sem falar nos próprios — e uma corrente tão forte de amor e energia que amor e energia brotaram de dentro de mim até tornarem-se uma coisa só. O de dentro e o de fora unidos em pura fé.

A vida me dava pena, e eu não sabia que o corpo ("meu irmão burro", dizia São Francisco de Assis) podia ser tão frágil e sentir tanta dor. Certas manhãs chorei, olhando através da janela os muros brancos do cemitério no outro lado da rua. Mas à noite, quando os neons acendiam, de certo ângulo a Dr. Arnaldo parecia o Boulevard Voltaire, em Paris, onde vive um anjo sufista que vela por mim. Tudo parecia em ordem, então. Sem rancor nem revolta, só aquela imensa pena de Coisa Vida dentro e fora das janelas, bela e fugaz feito as borboletas que duram só um dia depois do casulo. Pois há um casulo rompendo-se lento, casca seca abandonada. Após, o voo de Ícaro perseguindo Apolo. E a queda?

Aceito todo dia. Conto para você porque não sei ser senão pessoal, impudico, e sendo assim preciso te dizer: mudei, embora continue o mesmo. Sei que você compreende.

Sei também que, para os outros, esse vírus de *science fiction* só dá em gente maldita. Para esses, lembra Cazuza: "Vamos pedir piedade, Senhor, piedade pra essa gente careta e covarde." Mas para você, revelo humilde: o que importa é a Senhora Dona Vida, coberta de ouro e prata e sangue e musgo do Tempo e creme chantilly às vezes e confetes de algum Carnaval, descobrindo pouco a pouco seu rosto horrendo e deslumbrante. Precisamos suportar. E beijá-la na boca. De alguma forma absurda, nunca estive tão bem. Armado com as armas de Jorge. Os muros continuam brancos, mas agora são de um sobrado colonial espanhol que me faz pensar em García Lorca; o portão pode ser aberto a qualquer hora para entrar ou sair; há uma palmeira, rosas cor-de-rosa no jardim. Chama-se Menino Deus este lugar cantado por Caetano, e eu sempre soube que era aqui o porto. Nunca se sabe até que ponto seguro, mas — para lembrar Ana C., que me deteve à beira da janela — como não se pode ancorar um navio no espaço, ancora-se neste porto. Alegre ou não: ave Lya Luft, ave Iberê, Quintana e Luciano Alabarse, chê.

Vejo Dercy Gonçalves, na *Hebe,* assisto *A falecida* de Gabriel Villela no Teatro São Pedro; Maria Padilha conta histórias inéditas de Vicente Pereira; divido sushis com a bivariana Yolanda Cardoso; rezo por Cuba; ouço Bola de Nieve; gargalho com Déa Martins; desenho a quatro mãos com Laurinha; leio Zuenir Ventura para entender o Rio; uso a estrela do PT no peito (*Who Knows?*); abro o *I Ching* ao acaso: Shêng, a Ascensão; não perco *Éramos seis* e agradeço, agradeço, agradeço.

A vida grita. E a luta continua.

O *Estado de S. Paulo*, 18/09/1994

Sim, que seja este o porto

Sim, que seja este o porto. Aceitá-lo mesmo com seus muros a separá-lo da cidade, ocultando a vista do rio pouco antes da curva do Gasômetro, onde faz muito tempo houve um presídio, quase ninguém lembra. Quase ninguém lembra dos casarões antigos, dizem que de fazendeiros ricos, em alameda com palmeiras no meio em linha reta conduzindo à igreja no final da Getúlio Vargas onde, dizem também, passavam bondes. Ao falar em bondes, lembrar daquela curva inesquecível, o coração aos pulos no alto da João Pessoa, de onde era possível divisar lá embaixo e longe os morros, colinas, coxilhas que, dizem, seriam sete como as de Roma e Rossellini.

Mas sim, que seja este o porto — o de agora e não aquele da memória que quase ninguém lembra, a não ser os já-não-muito-jovens como eu, como você talvez. Passavam bondes — dizem ainda ou nem dizem mais? — Petrópolis-João Abbott, descer em frente ao cinema Atlas para subir a ladeira do Americano passando pelas escadarias de pedra até o IPA lá no alto — Marodin, Reichmann, os nomes, as cartas, o Tempo e eu sem saber que lembraria debruçado na janela franco-holandesa do Sétimo Céu a contar perdidamente as colinas lá longe e embaixo — Glória, Teresópolis, Santa Tereza. Seriam mesmo sete? Ainda que não, certamente sim, porque na Rua Avaí sem H entre outras alucinações havia a sina deste porto revelado no marco do Paralelo 30 cravado se não me engano justo ali na Redenção ou Medicina, não sei ao certo, nem importa. Os sinais eram muitos, tantos, e o signo: Escorpião. Como Berlim, como Magra Jane, musa do avesso daqueles dias, mas dela quase ninguém lembra ou sim? E de mim, e de nós lá? Tantos baiões, tantas garrafas, tantas viagens, tantos amores, oh Deus, que sereno inferno esse de lembrar o bom de antes quando nem sabíamos que acharíamos bom um dia. E seria? Cuidado, o Tempo mascara o duro.

Mas não, não aquele porto — e sim este de agora, dizer sim a ele e sobre todas as coisas, pois já aprendi e aprendemos que nunca se deve buscar em nada de agora o de antes. O de-agora sempre comporta o de-antes e o de muito antes do que sequer lembraríamos, o de quando nem estávamos ainda aqui e onde então? Que não se chama saudade ou amargura, pois não há melancolia em tudo isso que mal lembram, apenas um espanto grave, o espanto humano de ver a cara do Tempo, e como será afinal essa cara? Eu ainda não sei, nem você, só na hora final quem sabe? Um milionésimo de segundo à beira de nascer partindo para O outro Lado, aquele onde habitam os que já se foram, mas habitarão por lá também os bondes, os bares, as buscas, os beijos? havia beijos naquele porto enquanto navios partiam para alto-mar contornando as ilhas. Alguns voltavam, outros só às vezes, outros jamais, fincados em terras estrangeiras. Augusto há vinte anos na Escandinávia sem perder o sotaque de Uruguaiana, a suspirar por sopas tardias na Tia Dulce depois de algum filme francês no cinema Vogue. Ah Deus, que os humanos vão guardando dentro de si tudo e todos que se perdem o tempo todo sem parar, e pode doer, pode doer, eu aviso, mas não deve, não, não deve: te digo que é assim que as coisas são e o fugaz delas é a sua eternidade — não no real, mas na memória de quem lembra, e eu nem sequer entendo o que digo na manhã de domingo e chuva mansa sobre o porto minúsculo-maiúsculo de que falo.

Que seja ele, que seja exatamente este o porto. Mesmo para odiá-lo apaixonadamente algumas vezes, querendo partir sem deixar endereço ou telefone, mas por enquanto e com alegria, como uma Molly Bloom gaudéria, saudá-lo reverente em nome de Érico-Quintana-Dyonélio e repetir ardente, pedante, concentrado assim "todo perfume sim o coração dele batia como louco e sim eu disse sim eu quero Sims".

Zero Hora, 08/10/1994

PARA LEMBRAR TIA FLORA

Eu me lembro: mal apontava novembro, antigamente, eu e meus irmãos ficávamos exaltados feito as pitangueiras que dão frutos nessa época. Era quase hora de o Pai pegar o carro e partirmos em férias para Itaqui, para a casa de Vovó. Isso depois que houve carro na família (o mais famoso foi o "Morcegão", gigantesco Chevrolet anos 50, tipo filme de gângster). Antes íamos de trem, baldeação em São Borja e vezenquando pouso na casa de Tio Marciano (Ciano), leitor e pescador inveterado, de claros olhos azuis, que morreu cedo demais. Mas isso é outra história.

Nas madrugadas de estrelas tão pálidas que, se você piscasse os olhos, de repente não estavam mais lá, saíamos cedinho de Santiago. A viagem: gauderiada braba via Alegrete, atoleiros na chuva, na seca a desértica travessia do Silvestre, muros de pedras com áridos lagartos. Pampa, budismo límpido de 360 graus de horizonte, raros capões no meio do campo, avestruzes, perdizes, preás, quero-queros, casas de joão-de-barro nos fios, alvas garças pelos açudes. Na soalheira, fazíamos piquenique à sombra de algum mato, à beira de claras sangas, toalha xadrez na grama, pão feito em casa, frango, uvas, não sei mais quê. Éramos sete: Pai, Mãe, cinco irmãos — eu, Gringo, Felipe, Márcia e Cláudia, uma escadinha. Todos loucos pelo que estava chegando.

E o que estava chegando era Maçambará, onde viviam Tia Florinha e Tio Altivo, ou mais tarde a fazenda do Espinilho, da Swift, onde Tio Altivo trabalhava. Pousávamos ou mateávamos e seguíamos para Itaqui, e logo ao chegar

Vovô Aparício pegava no colo o mais novo dos irmãos e fazia o clássico batizado da família, cantando: "A casaca da mulata foi comprada à prestação/ com dinheiro do meu bolso, dado de bom coração..." O taquareiro, o poço com o ano de 1886 gravado a prego na pedra, travessias de chalana com Vovó para as compras em Alvear, cidade-fantasma, cadeiras na calçada ao anoitecer, a fresca vinda do rio. E o céu imenso, tão estrelado que bastava fixar olho num ponto negro e zás! Lá vinha estrela também onde parecia puro negro vazio.

Mais tarde Tia Florinha mudou-se para Itaqui. Trabalhadeira, andava sempre com um pano de prato no ombro, outro de limpeza na mão calejada de lavar, passar, cozinhar, costurar, bordar, arear. Numa época muito pobre chegou a morar em rancho de chão de terra batida. Comentavam com admiração: "O chão da Florinha chega a brilhar de tanto que ela varre!" Fronhas brancas imaculadas, lençóis cheirando a ervas, o terno de linho de meu primo Sérgio, o Dedé, engomado e passado para o Carnaval num ritual de pelo menos uma semana. Bela, a Tia Flora, nariz fino, aristocrático, olhos sabidos, sempre rindo. Mas brava, uma famosa veia no longo pescoço (dizem que "das Loureiro do Iguariaçá", estirpe tirana das mulheres da família de minha mãe) que quando latejava... Impunha respeito, até o marido só a tratava por "Dona Flora". Quis estudar, não pôde. Não usava maquiagem, nunca pintou os cabelos. Vaidade alguma, além do sabonete Maderas do Oriente. Fé e fibra, guerreira, ficou anos na cama depois de vários derrames, sem se entregar. Além do Dedé e Joir, grande amigo de minha adolescência, tinha a Nara Claudina, que cuidou dela com amor até o fim.

Pois Tia Florinha, Ana Flora Loureiro Nunes, morreu em Itaqui na madrugada desta segunda de Carnaval, aos 74 anos. Não vai virar nome de rua nem praça. Valorosa, pertencia àquela raça da Bibiana Cambará do Erico. Por acaso ou escolha, coube a mim receber a notícia. Comecei a chorar, mas logo fui arrumar a cama, fazer café, limpar o jardim, varrer a calçada. Como ela faria. Na branca madrugada, a Oriente vi uma estrela enorme brilhando. Pisquei: já não estava mais lá. Devia ser Cronos-Saturno, o Tempo implacável ascendendo em Peixes, signo dela. Ou a própria Tia Flora, quem pode provar que não?

***Zero Hora*, 04/03/1995**

Tentativa de sitiar uma esquisitice

O terror interno foge de todas as maneiras do real e do agora.

Ando esquisito. Não exatamente mal, mas preguiçoso, dispersivo, desatento. Ou atento a coisas tão remotas que é como se não estivesse completamente aqui. Nem lá, na coisa remota. Na caixa do supermercado, de repente revejo nítida aquela esquina do restaurante japonês em Pernety, Paris. Ao atravessar uma rua aqui do Menino Deus, onde moro, a luz do crepúsculo me transporta para a beira do fiorde de Skjeberg, no sul da Noruega. E também não são só *flashes* assim chiques, estrangeiros, não. Outro dia na sacada aqui de casa, voltou de repente certo entardecer na fronteira com a Argentina: 360 graus de pampa, o sol se pondo atrás do Uruguai e a lua cheia subindo exatamente a 180 graus opostos. E não só lugares. Caras também, e vozes, e pessoas ausentes ou distantes de repente se introduzem no presente e no próximo. Não são apenas lembranças, que isso é comum de ter, é mais inquietante que isso: são invasões no real do imaginário e da memória.

Vou ao cinema. *Prêt-à-porter*, de Robert Altman, me faz rever por dentro um filme francês sofisticadíssimo do fim dos anos 60: *Qui êtes-vous, Polly Maggoo?* Não só o filme, mas também o cinema onde o vi, e que já não existe mais, e a própria tarde de novembro em que foi visto, depois de uma prova na faculdade. *Amateur*, de Hal Hartley, e seus personagens zumbis desmemoriados me levam de volta a uma noite gelada de inverno em Kentish Town, Londres, saindo de um restaurante paquistanês. Uma moça chorava desesperadamente sentada no degrau. Perguntei se precisava de ajuda, ela contou: acabara de encontrar o namorado com outra na cama. Mas não queria ajuda nem nada, só queria ficar ali chorando sozinha no degrau gelado. Fui embora.

Será grave isso que tenho, ao ver outras coisas dentro da coisa presente? Não no sentido clínico ou físico, suponho, que não exige internação nem tratamento. Mas num outro sentido um tanto abstrato, talvez seja gravíssimo. É normal ver o que não é mais no que está sendo? "Normal" não é a palavra, eu sei, "normal" estabelece um critério tão inabalável de sanidade que chega a ser fascista. Tento de outro jeito, então: será que é bom, isso?

Percebem como é vago? Tenho que dizer isso porque não sei como se chama. O que agrava as coisas, pois sempre é muito mais fácil lidar com algo batizado, classificado e supostamente compreendido. Será o inverno chegando? Aqui no Sul temos inverno brabo, e este final de maio deixa no ar uma espécie de calafrio de antecipação: quer-se de repente estar no Caribe ou na Bahia para não ter que atravessar as geadas e os gelos de junho e julho para chegar despedaçado em agosto e, a partir de setembro, tentar reunir os cacos outra vez. Talvez porque há quatro anos viajando sem parar, vivendo dois invernos seguidos, e nenhum verão, ou o contrário, meu organismo tenha perdido o ritmo natural?

Será o Zaire? Será a greve dos petroleiros? Será o excesso de remédios? Será porque terminei livro novo, e isso sempre deixa a gente assim, esvaziado, espantado? Durmo e não sonho, faz tempo. Cartas e telefonemas, que quase não atendo, deixo para responder depois. Então esqueço.

Começo a ouvir Mozart, me dá vontade de ouvir Satie. Vou ao Satie, mas acho que quero mesmo é Chopin. Abro Jorge de Lima pensando em Drummond, quero João Cabral, mas no segundo verso estou pensando em T. S. Eliot. De madrugada, acordo súbito e suado, julgando ouvir as sirenes da polícia daquele inverno infernal em Brixton. Há qualquer coisa ausente? Há outra coisa que ronda, querendo tornar-se presente? O terror interno foge de todas as maneiras do real e do agora para não encarar-se, será? Não sei, ando esquisito. Ando mesmo muito esquisito e, bem sei, ninguém pode ajudar.

***O Estado de S. Paulo*, 28/5/1995**

AGOSTOS POR DENTRO

Foi na ponta do Leme, no Rio. Parecia verão pleno, mas era apenas julho, um dia quente e azul, pouco mais de meio-dia, a praia cheia de gente. Já repararam como, em dias quentes e azuis na beira da praia, no Rio, todos parecem deuses? Nesse dia, pareciam. Não só as adolescentes de cintura fina e cabelos encharcados de sal, mas também as mulheres um tanto passadas, e os homens também, e até os velhos pareciam deuses cansados, mas deuses. As cores, talvez, as peles, não sei ao certo. Há sempre um toque de divino no humano em dias assim, pensei.

Da sombra, e vestido, porque não posso tomar sol, continuei olhando e bebendo uma água de coco, porque não posso beber álcool. E era um dia perfeito para torrar-se mesmo naquele tipo de sol dos horários mais impróprios que dermatologistas dizem ser assassino. Um dia perfeito também para empapuçar-se de chope olhando o horizonte. Mas disso eu não me queixava, porque era um dia perfeito também para apenas contemplar o perfeito, mesmo sem poder fazer a maioria das coisas que o tornariam ainda mais perfeito. Digamos que naquele momento eu não fazia questão dessas tais coisas: tudo que precisava estava ao alcance talvez não exatamente das mãos, mas certamente dos olhos, o que já é alguma coisa.

Devo ter suspirado ou movido um pouco a cabeça para receber melhor no rosto a brisa com cheiro de algas, ou feito qualquer outro desses gestos típicos de quando se quer mudar de parágrafo por dentro, compreendem? Sei que não acendi um cigarro, seria um crime naquele ar, naquele azul, e sei ainda que não lembrei de nada acontecido há poucos ou muitos anos naquela praia onde vivi tantas coisas, tantas vezes. Para o futuro, também não cometi o erro de projetar o pensamento, pois sei que não tentei adivinhar se outra vez, algum dia, voltaria ali. Sem muita consciência do que fazia, não fiz nada que pudesse — a palavra é pedante e um tanto cristã, mas é a que quero usar — macular aquele estar ali.

Nos próximos segundos eu poderia quem sabe levitar, mas com isso chamaria muita atenção, talvez apenas entrasse num discreto satori tropical. A coluna ereta, o pensamento parado e mais vivo do que nunca, sem que ninguém percebesse. Foi então que alguma coisa — eu ia escrever "deu errado", mas não, nada deu errado, o que houve foi só a continuação do que estava acontecendo, e só seria "errado" se o que estava acontecendo fosse "certo", compreendem? Nem eu.

Mas o que houve — o tropeço, o solavanco, o esbarrão, a tosse no meio da área lírica —, o que houve foi um pensamento impiedoso e exatamente assim: não faço parte disso.

Não uma dúvida, mas uma certeza. Absoluta.

Sem inveja nem mágoa, revolta ou vontade furiosa de que pudesse ser de outra forma. Secamente, definitivamente, eu não fazia parte daquilo. Não por estar vestido e na sombra, não por viver noutra cidade, não pela água de coco em vez de chope. Por razões que não sei explicar; e nem precisariam tentar ser explicadas porque eram e, pior, continuam sendo completamente indiscutíveis.

Eu não fazia parte, e pronto.

Voltei lento e atordoado para o hotel.

A imensa janela de vidro do 18º andar dava para a praia. Cheia de sol, azul, turquesa, jade, cheia de gente viva. A janela não abria. Feito uma vitrina, uma jaula. Bebi água com gás, coca-cola, não lembro o quê, telefonei para algum número ocupado ou peguei o controle remoto e fiquei dando zaps frenéticos na TV. Não sei o que se fez ou o que eu mesmo fiz depois. Sei, e isso com certeza absoluta, que não teve a menor graça.

Desde então, tenho uns agostos por dentro, umas febres. Uma tristeza que nada nem ninguém conserta. É assim que se começa a partir?

***Zero Hora*, 12/08/1995**

Direção editorial
Daniele Cajueiro

Editoras responsáveis
Janaína Senna
Maria Cristina Antonio Jeronimo

Produção editorial
Adriana Torres
Mônica Surrage

Revisão
Vinícius Louzada

Diagramação
Filigrana

Este livro foi impresso em 2019 para a Nova Fronteira.
O papel do miolo é chambril avena 80g/m² e o da capa é cartão 250g/m².